LOS VIGILANTES

Para Fernando
con mucho
cariño y
agradecimiento
Diamela

julio 95

LOS VIGILANTES

DIAMELA ELTIT

EDITORIAL SUDAMERICANA
SANTIAGO DE CHILE -BUENOS AIRES

Diseño de Tapa : Patricio Andrade
Ilustración : Sobre un cuadro de Lotty Rosenfeld

Impresión y Composición: Valgraf Ltda.

Santa Isabel 1235 Providencia, Santiago-Chile
ISBN: 956-262-028-X

IMPRESO EN CHILE/PRINTED IN CHILE

A mis hijos Nadine y Felipe.

Mi gratitud en el tiempo mexicano de este libro
para la escritora Margo Glantz y
para el joven Guido Camú.

No, no temí la pira que me consumiría
sino el cerillo mal prendido y esta
ampolla que entorpece la mano con que escribo.

(Rosario Castellanos)

Indice

I

BAAAM

Mamá escribe. Mamá es la única que escribe.

Mamá y yo nos compartimos en toda la extensión de la casa. La casa está ruidosa, a veces tranquila. Tranquila. Mamá no está tranquila, lo noto en su pantorrilla engranujada. Tiene muchos pedacitos de piel desordenados. Desordenados. Los dedos que tengo están enojados con su desorden. Cuando me enojo mi corazón TUM TUM TUM TUM y no lo puedo contener porque parece decir TON TON TON To. Seré el tonto de los rincones de la casa. Seré el tonto de los rincones. La incomprensible pequeñez de la casa se superpone en mi mente. En mi mente. Presagio días funestos, paisajes adormilados. Presagio sólo lo horrible. Mi cuerpo habla, mi boca está adormilada. La casa tonta se contiene en mi mente con una impresionante pequeñez. Me muevo entre la multitud de mis vasijas soportando el peso de una honda necesidad sexual. Precoz. Precoz. Me hiere. Me agarro de la vasija. De la vasija. Subiré como una larva por la vasija. Pero la vasija se convierte en una pantorrilla. Es musculosa. Musculosa. Yo no. Mi cuerpo laxo habla, mi lengua no tiene musculatura. No habla. Subiré para arriba agarrado fuertemente de la vasija, subirá el tonto baboso que soy. Mi lengua es tan difícil que no impide que se me caiga la baba y mancho de baba la vasija que ahora se ha convertido en una pantorrilla y quizás así se me pegue un poquito de musculatura. Mi corazón palpita como un tambor. TUM TUM TUM TUM. Es musculoso. Mi corazón me habla todo el tiempo de su precoz resentimiento sexual, me lo dice en un lenguaje difícil (ya ahora mismo/ vi uno de esos pedazos que sueño/ a pedazos/ sueño en pedazos/ me duele duele duele/ aquí/ aquí mismo/ calentito/ un poquito más/ un poquito más/ basura/ me sobra mucho/ un espacio calentito/ el molar que muerde/ devora/ ahora mismo/ la grasa/ qué oscuro/ qué horrible/ ¿tendrá existencia el bosque de mis deseos?/). No quiero entenderlo. Entiendo todo. La pantorrilla intenta derribarme para dejarme abandonado en un rincón de la casa. Lo sé. Lo sé. Mamá se inclina hacia mí y aparece su boca sardónica. Sardónica. Se inclina y sospecho que quiere desprenderme con sus dientes. Babeando lanzo una estruendosa risa. Ay, cómo me río. Cómo me río. Caigo al suelo y en el suelo me arrastro. Es bonito, duro, dulce. Golpeo mi cabeza de tonto, PAC PAC PAC PAC suena duro mi cabeza de tonto, de tonto. TON TON TON To. Ella me recoge del suelo. Mamá está furiosa, la pantorrilla, mi vasija. Me engarfio rico y corre la baba por toda la superficie ¿Cuánto llevamos? ¿un día? ¿un minuto? Yo no sé. Ah, si hablara. Miren cómo sería si yo por fin hablara (se acabará, se acabará, anda vida, se acabará). Mamá tiene razón, nada de caridad y tan rico haberme azotado la cabeza y haber, ay, reído. Tengo una reserva infinita de baba. En el día la baba todo el tiempo. Yo y mi vasija siempre mojada. Primero la mojo, luego la seco. Cuando él le escribe a mamá mi corazón le roba sus palabras. El le escribe porquerías. Porquerías. (Ya/ apúrate/ ¿Quieres más fuerte?/ ¿Más fuerte?/ APURATE/ ¿Dónde más?/ por qué no te apuras/ basta/ no llores/ no me molestes/ ya empezó/ ya empezó/ no pongas esa cara/ ¿por qué tienes que poner esa cara?/). No le escribe esas palabras, sólo piensa esas palabras. Yo le leo las palabras que piensa y no le escribe. Mi corazón guarda sus palabras. Sus palabras. Mi corazón aprende porquerías y yo quiero tanto a mi cabeza de tonto. De TON TON TON To. Me agarro de una de mis vasijas y veo una pantorrilla en la que puedo clavar las pocas uñas que tengo. No podría sangrar a una vasija, sólo a una pantorrilla. RRRRR, rasco mi pierna mirando la casa. Me detengo y me agacho para mamá. Mamá me pega en mi cabeza de tonto. AAAAY, duele. Duele. Otra vasija y otra. Mamá me pone en el suelo y mancho de baba el piso. Salgo hacia afuera para manchar de baba la tierra. La tierra cambia de color con mi baba. No sé de qué color se pone. Hago un hoyito con el dedo en la tierra. Mamá me saca el dedo del hoyito y me tuerce la mano. La mano. Si ella sigue, BAAAM, BAAAM, me reiré. Me deja hacer otro hoyito y después me meto los dedos en la boca que no habla. No habla. La baba ahora se espesa y me arrastro hasta la tierra con la boca abierta. Abierta. Mamá me mira y me dan ganas y me RRRR, rasguño de sangre el ojo. Me meto el dedo en el ojo. Mamá me agarra el dedo y me lo mete en la nariz. La nariz. No quiero. Quiero una de mis vasijas. Voy en busca de mi vasija y meto los dedos adentro. Adentro. Mamá se enoja, yo me río. Ella no soporta que me ría y por eso lo hago. Si yo me río su corazón suena como un tambor, TUM TUM TUM TUM. Ahora mamá está enojada. Enojada. Cuando mamá está enojada su corazón se llena de porquerías. Mamá se pone rabiosa, enérgica, abrumada. Yo me alejo detrás de mis vasijas para huir de sus pensamientos. En los momentos en que mamá se enoja me da hambre. Hambre. Mamá se niega a que yo engorde. Con el hambre mi cabeza de tonto se llena de porquerías. Mamá está traspasada por el miedo. Su pie me patea. AAAAY, me arrastro en medio de un hambre inextinguible, me arrastro para hacer un hoyito en la tierra y sentir en el dedo el tambor de mi TUM TUM TUM TUM, corazón. Mamá y yo estamos siempre unidos en la casa. Nos amamos algunas veces con una impresionante armonía. Armonía. Yo miro a mamá para que calme mi hambre. Tambor el corazón de mamá que quiere escribir unas páginas inmundas (un pedazo de brazo, el pecho, un diente, mi hombro/ no puedo detenerme ahora, no puedo frenar/ la uña, el hombro sí que tiene consistencia/ la mano, el dedo/ no me duele, hace años que no me duele/ es mentira que duele/ un latido en el párpado). Sólo lo piensa, no lo escribe. Mamá y yo estamos juntos en toda la extensión de la casa. Existo sólo en un conjunto de papeles. Agarrado de una de mis vasijas quiero decir la palabra hambre, la palabra hambre y no me sale. Ah, BAAAM, BAAAM, me río. Me meto los dedos en la boca para sacar la palabra que cavila entre los pocos dientes que tengo. En algún hoyito dejaré la pierna de mamá cuando consiga la palabra que aún no logro decir. La piel de mamá es salada. A mí no me gusta lo dulce, engorda. Engorda. Vomito lo dulce, lo salado es rico. Ahora mamá está inclinada, escribiendo. Inclinada, mamá se empieza a fundir con la página. A fundir. Quiero morderla con los pocos dientes que tengo, pero ella no lo sabe. Quiero morderla para que me pegue en mi cabeza de TON TON TON To tonto y deje esa página. Esa página. Cuando pueda decir la palabra hambre esta historia habrá terminado. Dejaré la vasija y me agarraré a la pierna de mamá para contener mi baba para siempre. Me lo dice mi corazón TUM TUM TUM TUM de tambor. Mi corazón salado que conoce el gusto de todas las cosas y los sufrimientos de todas las gentes. Pero mamá es una mezquina. De tan mezquina que no me convida ni un poquito de calor. Ahora hace frío y me pongo azul. Azul. Hace tanto frío que me pongo azul y mamá dice que parezco una estrella. Y es ella la que tirita y contrae su boca sardónica. Sardónica. BRRR, BRRR, tirita de frío y yo necesito un pedazo de tierra para enterrarme. Mamá no me deja porque el azul es bonito dice y dice que le gusta tanto verme tranquilo. Tranquilo. Pero yo me alejo hasta mi pieza y me enrosco. Mamá me sigue y trata de enderezarme con su pierna. Su pierna. Tiene un hueso salvaje en su rodilla que me da en la nariz. En la nariz. AAAAY. Sangro leve por la nariz y mamá me limpia con su falda y después me mete un pedazo de género por la nariz para que se me quede la sangre en su falda. La sangre es calentita. Calentita. Se me pasa un poquito lo azul. Me enojo y lanzo una risa que dispara a mamá lejos. Lejos. Si me pongo más azul mamá se alegrará y entonces no podré derribar a mis vasijas. La espalda de mamá tiene un peligro. Lo sé. Peligro. Mamá me da la espalda para meterse en esas páginas de mentira. Mamá tiene la espalda torcida por sus páginas. Por sus páginas. Las palabras que escribe la tuercen y la mortifican. Yo quiero ser la única letra de mamá. Estar siempre en el corazón de mamá TUM TUM TUM TUM y conseguir sus mismos latidos. Mamá odia mi corazón y quiere AAAAY, destrozarlo. Pero mamá me ama alguna parte del tiempo y me mira para saciar en mí su hambre. Me río del hambre de mamá con una risa opulenta. BAAAM, BAAAM, salta la risa de mi boca en la primera oscuridad que encuentro. Mamá corre a taparme la boca con su mano. Con su mano. AAGGG, me asfixio. Me asfixio y vomito en la mano de mamá. Mamá me esquiva porque me lee los pensamientos. Me lee los pensamientos y los escribe a su manera. Mamá quiere que nos volvamos felices en las letras que escribe y por eso se toma tanto trabajo su espalda. Su espalda. Cuando yo hable impediré que mamá escriba. Ella no escribe lo que desea. Mamá me busca para salir a la calle y que se hiele mi cabeza de TON TON TON To. La calle me asusta. Me gusta la poca tierra que hay en la calle. Si mamá me obliga a salir hacia afuera le haré una herida con los pocos dientes que tengo. Ahora que parece que nos congelamos seré la única estrella de mamá. Mamá sale a la calle para ver las estrellas. Las estrellas. BAAAM, BAAAM, me río por toda la casa esperando a mamá. Con la escasa lengua que tengo lamo mi vasija para soportar el hambre. El hambre. Cuando mamá regresa aprieta las páginas con sus manos y me da la espalda. Es peligroso. Pero si me pongo azul le daré contento a mamá que quiere que reluzca como una estrella. BRRRR BRRRR tiritamos juntos y BAAAM, BAAAM, me río. Mamá se quiere tapar las orejas. Las orejas. Yo me trepo hasta su oreja y BAAAM, BAAAM, me río, pero ella me abraza y de tanto frío no puedo negarme. Negarme. Entre los brazos de mamá se siente calentito. Me siento oscuro, peligroso y calentito. Debajo está mamá, la falda de mamá y más abajo un abismo de sinsabores. Su pesar me da hambre. Hambre. El hambre me provoca la saliva. La saliva corre buscando un poco de comida. Pero mamá ha olvidado la comida y pretende tironearme los pocos pelos que tengo. Me lleno de saliva y de una poca risa que me queda. Risa. Me RRRR, raspo la cara. RRRR. Duele. Duele quizás la mejilla, la nariz y busco la mano de mamá para que me sobe. Me sobe. Mamá me limpia la mano en su falda y me mira. Cuando mamá me mira con pesadumbre me tapo mi cabeza de TON TON TON To porque me asusta su cara despavorida. Despavorida. Si mamá tiene la cara apesadumbrada y despavorida yo le tomo los dedos y se los tuerzo para que olvide las páginas que nos separan y nos inventan. Ella en sus páginas quiere matar mi cabeza de TON TON TON To. Después me voy lejos pensando algunas palabras para mi boca que no habla. Mi pensamiento está cerca de mamá y a distancia de mi lengua que de tanta saliva no habla. No habla. Sé que mamá en sus páginas deshace el poco ser que le queda y por eso ella tiene piernas y palabras. Palabras. Mamá desea que se me caigan los pocos dientes que tengo para que no se me vaya a quedar una palabra metida entre los huesos. Quiere romper mis dientes en sus páginas. Pretende romper mis dientes, de espaldas a mí para que nos quedemos flotantes y azules como unas desesperadas estrellas. Estrellas. Mamá se siente menos abrumada cuando me ve helado y BRRRR se nos mete el frío para adentro y ella sabe que sólo sus piernas y las penurias de su falda nos sanan. La amargura de mamá es displiscente conmigo y anda metida entre su falda y en el medio de sus páginas atacando a la parte más valiosa que tiene y que yo le agarro para ser su estrella. Su estrella. Mamá necesita tanto una estrella y me desbarata mi cabeza de tonto porque no me pongo azul, azul, como debiera. Pero mi cabeza de tonto va a empezar a congelarse si mamá se refugia entre sus páginas. Páginas. Mamá lo que desea es que el que le escribe se congele y si lo consigue estaremos unidos para siempre y mi baba será nuestro único consuelo. Consuelo. Mamá algunas veces se siente tranquila de arriba. Cuando está tranquila de arriba piensa las peores cosas y yo empiezo a reírme. A reírme. Me gusta tanto que mamá tenga pensamientos pues me deja concentrarme en mis vasijas y rasgar sus amenazantes formas. Formas. Las formas son sorprendentes. Yo soy parecido a una vasija cuando me pongo azul. Cuando mamá se pone azul por el frío me pide que le ponga baba en su pantorrilla. Pero mi baba se adelgaza por el frío y ella se enoja y empieza sus febriles páginas. Yo me arrastro por el suelo y la obligo a mirarme. Me ovillo. Ovillo. PAC PAC PAC PAC mi cabeza de TON TON TON To cae en todas las direcciones. Con los pocos dientes que tengo raspo el piso y algunas veces como un poquito de materia. Mamá me saca la materia de la boca y yo le masco la uña que me mete en la boca. Rica la uña de mamá. Quiero decir: "Rica la uña de mamá" y las palabras no me salen. Si mamá me ve con la boca abierta intenta tirarme la lengua para afuera. Quiere arrancarme la lengua para que no hable. Hable. Cuando yo hable mamá temblará porque yo le adivino los pensamientos. Pero mamá me ama y seguimos unidos en la casa entre el frío y la poca baba que tengo. El que le escribe no está a la vista. Mamá ha desarrollado un odio por su ausencia en el centro de su pensamiento. Lo sé porque yo le leo los pensamientos a mamá. El odio de mamá está transferido a la parte más sinuosa de su falda. De su falda. El odio de mamá ondula de aquí para allá a la medida de sus pasos. Porque si mamá me abandona, me río y me aferro a las vasijas que ella mantiene con ira. Si mamá se atreve con mis vasijas yo la sorprendo con una risa nueva que invento en ese mismo momento. Momento. Mamá sabe que siempre tengo hambre y preciso de algún alimento. Lo sabe cuando caigo en el resquicio de alguna de las habitaciones. En algunas ocasiones caigo sobre su pierna por la fuerza del hambre. Cuando caigo, mamá se alarma y sale atolondrada a conseguir un poquito de comida. Un poco de comida que masco con los pocos dientes que tengo. En extrañas oportunidades ella me da unas escasas gotas de leche. La leche de mamá es el contenido que ella esconde con sigilo. Con sigilo. Mamá conserva a través de los años un poquito de leche y la controla para que no se le acabe. Es un secreto de mamá. La leche de mamá es calentita. Cristalina y calentita. Pero mamá la cuida para todos los años de su vida y me deja sorber apenas una o dos gotas y quiero pedirle más, más, y las palabras no me salen. Me quedo con la boca abierta para decirle "más" y se me abre mucho la boca y ahí mamá me pellizca los labios. Labios. Mamá protege tanto el secreto de su leche. Mamá guarda su leche para sentir su parte de arriba calentita. Calentita. Lo sé porque cuando he tocado su parte de arriba está calentita. Calentita y ardorosa. Pero mamá es una mezquina y aleja mi cara de TON TON TON To. Me aparece una risa indeterminada. Me río de tantas maneras que logro poner mi cara en su pecho. En su pecho mamá tiene demasiado furor y por eso me da la espalda y se vuelve hacia sus páginas con tanta obstinación. Obstinación. Mamá sale de pronto a la calle y me trae noticias impresionantes. La gente de la calle es impresionante. A mamá ciertas gentes la reconocen en la calle por la sutil mancha de leche que lleva sobre su pecho. Sobre su pecho. La leche de mamá tiene un secreto que yo debo vigilar. Ese secreto le provoca a mamá un estado malo. Malo. Mamá queda con el estado malo cuando ve cómo el hambre inunda las calles. Esa hambre la prende con una fuerza verdaderamente devastadora y a su cabeza entran las más peligrosas decisiones. Decisiones. Entra a la casa y deja en sus páginas la vergüenza que le provoca la salida. Caemos contra la pared en un movimiento que hiere mi cabeza de TON TON TON To. Caemos y con la poca visión que poseo observo cómo mamá va a buscar un beneficio en sus páginas para olvidar el hambre de las calles. Ella deja ahí el poco ser que le queda. Pero ya ha caído sin saberlo en quizás cuál punto del hambre de las calles. Ha caído en medio de una helada extraordinariamente poco conocida. Y mamá y yo esperamos que el que le escribe se ponga azul para el resto de su vida. De su vida. Ahora mismo yo me voy poniendo azul, azul como una estrella y me río con una de mis risas más notorias para que mamá me aplauda. Con la poca visión que tengo veo la gotita de leche que le queda a mamá y mi labio se desenfrena por llegar hasta su pecho, pero estoy tan helado que caigo. Que caigo. Mamá muy conmovida siente que estamos cerca del cielo. Siente que vamos a tocar ese cielo que hace tantos años espera. Espera. AAAAY, caigo. Ella anhela que me ponga azul, azul como una estrella y la lleve con el poco ser que le queda hasta el pedacito de cielo que le aliviará el trabajo de su mano y de su angustiada página, le aliviará la mancha de su pecho y el escozor en su falda. Entero azul como una estrella caigo en medio de una helada indescriptible. Caigo buscando a mamá que ya no ve, que me vuelve la espalda, inclinada ante el desafío de su incierta página. Mamá que permanece ajena a la hambruna de la gente de las calles porque ahora mismo yace perdida. Yace perdida y solitaria y única entre las borrascosas palabras que la acercan al escaso cielo en el que apenas pudo habitar.

Ahora mamá escribe. Me vuelve la espalda. La espalda. Escribe:

II

AMANECE

Amanece mientras te escribo. Tu desconfianza aumenta aún más las fronteras que se extienden entre nosotros. Se ha dejado caer un frío considerable. Un frío que se vuelve cada vez más tangible en este amanecer y no cuento con nada que me entibie. Ah, pero no es posible que lo entiendas porque tú, que no te encuentras expuesto a esta miserable temperatura, jamás podrías comprender esta penetrante sensación que me invade. Deberás responderme con urgencia. Como lo temía, tu hijo fue expulsado hoy de la escuela. Recuerda que te pedí de manera insistente, y, en ocasiones, desesperada, que hicieras los arreglos necesarios para intentar impedir esa resolución. Ahora es demasiado tarde. El cielo empieza a ponerse infinitamente azul, un azul que presagia la llegada conmovedora de un sol macilento que ya sé, sólo vendrá a iluminar aún más el frío que nos circunda.

Tu hijo aún duerme. Duerme como si nada hubiera sucedido, pues cuenta con la certeza de que tú seguirás con distancia nuestro hostil derrotero. Pero, esta vez, deberás entender este dilema que también te pertenece, porque si no lo haces, nuestra aflicción te tocará y la tranquilidad que rodea tu vida quedará inutilizada para siempre.

Me parece que el cielo hoy será arrogante y extenso. Mientras que tu hijo soporta el frío con una extrema liviandad, yo sufro como si hubiera sido atacada por una peste malsana. Nunca he logrado una apariencia para resistirlo y en estos instantes llego a pensar que, tal vez, mi piel fue perversamente diseñada para los inviernos.

Las últimas heladas me han devastado con rigor, llevándome hacia un malestar que vulnera las leyes de cualquier enfermedad. Tu hijo, en cambio, aunque trémulo, conserva la constancia de la alegría en sus juegos solitarios, cruzados por sus sorprendentes carcajadas. Se ríe abiertamente durante aquellas horas en las que me resguardo buscando un sueño que me alivie del frío. Te solicité que se lo dijeras, te advertí en cuánto me perturbaban sus juegos. No lo hiciste. En unos momentos me hundiré entre las gastadas cobijas de mi lecho y te aseguro que tu hijo se despertará únicamente para privarme del descanso que requiero.

Eso es todo. Piensa que permanezco a la espera del gesto que corrija el conjunto de mis inquietudes. Ah, piensa también en el frío que penetra por cada uno de los intersticios de la casa.

PERO, ¿cómo te atreviste a escribirme unas palabras semejantes? No comprendo si me amenazas o te burlas. ¿En qué instante tu mano propició unas acusaciones tan injustas? Estás equivocado, la expulsión de tu hijo fue completamente acertada y me parece cruel que insinúes que fui yo la que lo indujo a buscar una salida de la escuela. Fue una acción de tu hijo del todo personal y yo, si me hubiera visto enfrentada al conflicto de los administradores de la escuela, habría tomado idéntica medida. Ah, qué agravios tuyos debo recibir. Ahora, además del frío, me hieren tus injurias ante las que no demuestras la menor contemplación. Te insisto; la expulsión representó un tibio castigo frente a una falta que me parece imperdonable. Pero, ¿cómo puedes acusarme de desear que tu hijo abandone su educación? En estos momentos, temo que ni siquiera conozcas a tu propio hijo y te niegues a entender que su actuación estuvo provista de una gran dosis de maldad. Lo que hizo sobrepasó todos los límites y yo me vi enfrentada a un conocimiento que me ha dejado demasiado avergonzada.

Afuera está plagándose de una extrema turbulencia. Estoy cierta de que el cielo, en esta noche, muestra una dispersión poco frecuente. Es como si las distintas oscuridades se protegieran al interior de la siguiente y, a la vez, intentaran separarse. Se trata de una noche abrumadora e indecisa. No quiero volver a recibir de ti ninguna expresión inoportuna o que pretendas dudar de una decisión que es ineludible. Jamás te solicité que ejercieras un pronunciamiento ante la expulsión, ni menos que calificaras mis conductas. En realidad, ahora comprendo que tu carta fue escrita por el solo placer de provocar mis iras. Pero a mí lo único que me moviliza es la necesidad de una respuesta a la enorme disyuntiva con la que ahora convivimos. Temo a la llegada de la luz del día. Tu hijo se despierta con la luz y me persigue con sus juegos y sus inminentes carcajadas. Esos ruidos inhóspitos atraviesan las puertas tras las que me protejo para prevenirme de sus enfermizos sonidos.

Tú no sabes cómo, temblando de frío, descompuesta por el sueño, me cubro con las manos los oídos hasta provocarme daño. Ah, no entiendes lo que significa habitar con sus desconcertantes carcajadas. Ahora exijo que retires tus palabras y sólo te limites a darme una respuesta. Comprendo que mi tono te resulte imperativo, pero de esa dimensión es el conflicto al que me enfrento.

En el curso de esta noche pareciera que el cielo propiciara una catástrofe. Nunca había presenciado una apertura similar. Es inútil que intentes una estratagema, no quieras convencerme de que la palidez de tu hijo se está volviendo progresivamente malsana. El mal que anuncias está sólo contenido en tus perniciosos juicios. Limítate a escribir, con la sensatez que espero, una solución para esta tragedia que me resulta interminable.

Durante toda la noche mi corazón me ha hostilizado sin cesar. A lo largo de estas horas, me he sentido disminuida, atacada por un cansancio verdaderamente perturbador. Prisionera de distintas angustias, aún en la más leve, hube de ansiar una pronta muerte. Pero no podía adivinar que me esperaban más castigos, los que se manifestaron en algunos fugaces sueños de mutilaciones. En mis breves sueños, un cuerpo destrozado descansaba entre mis manos. Ah, imagínate, yo era la causante de esa muerte y, sin embargo, no sabía cuál destino correspondía dar a los restos. No sé cómo sobrevivo a ese sueño en donde me vi, maravillada, sosteniendo a unos despojos mutilados de los cuales yo era responsable. Mi corazón me ha humillado toda la noche. El corazón late, late, late, pero el mío fue, en esta noche, irregular. Latió con una desarmonía espantosa. Mi corazón se ha comportado de una manera tan hiriente que no estoy en condiciones de responder a las preguntas que me haces.

Sé que esta mala noche se la debo a mi vecina. Mi vecina me vigila y vigila a tu hijo. Ha dejado de lado a su propia familia y ahora se dedica únicamente a espiar todos mis movimientos. Es una mujer absurda cuyo rencor la ha sobrepasado para quedar librada a la fuerza de su envidia. Mi vecina sólo parece animarse cuando me ve caminar por las calles en busca de alimentos. Me enfrento entonces a sus ojos que me siguen descaradamente desde su ventana, con un matiz de malicia en el que puedo adivinar los peores pensamientos. Sale después hacia afuera y hasta sería posible asegurar que algunas veces me ha seguido. Tú sabes que poseo un fino sentido cuando me siento acechada.

Podría testificar que ella ha ido tras mis pasos en mi único recorrido a través de la ciudad. Ahora sé que mi vecina, a pesar del frío, va de casa en casa y estoy cierta de que soy el motivo de sus viajes y la razón de sus conversaciones. Su mirada es definitivamente tendenciosa y puedo prever cómo el mal se desliza por mi espalda, se despeña por mi espalda dejándome arañada por crueles difamaciones. Ah, no entiendo desde cuál de sus incontables odios ha escogido hacer de mí su contendiente.

Sabes pues que soy vigilada por mi propia vecina. Las preguntas que me haces, sólo duplican en mí la vigilancia. El que tu hijo no asista a la escuela no augura que habitemos de una manera indecorosa. Te advertí que este momento llegaría. Si tú no lo detuviste, ¿por qué pues debo entonces obedecer tus órdenes? Permanecemos, nos quedamos por tu voluntad en una ciudad que enloquece de manera progresiva. Mi vecina me vigila y vigila a tu hijo y cuando anochece puedo escuchar su llanto desesperado. Llora porque su vida occidental se le ha dado vuelta, porque el frío se ha dado vuelta y, por su contagio, esta noche hasta mi corazón se ha sublevado.

Tu hijo y yo pasamos este tiempo comprometidos en un ritmo que no merece el menor reproche y no veo por qué habría de hacerte una cuenta detallada de cómo pasamos el día. Pero, en fin, has de saber que nuestras horas transcurren burlando el frío que está alcanzando un cuerpo realmente monstruoso. Tu hijo lo esquiva ejecutando sus juegos y lo soslaya con el fragor de sus estruendosas carcajadas. Yo velo el día y vigilo el paso de la noche. Pero ¿cómo hacerte comprender que mi vecina me fustiga de manera vergonzosa? Deja pues de abrumarme con argumentos que no tienen el menor asidero. Tu hijo fue expulsado de la escuela por su comportamiento y debemos permanecer reducidos en la casa. ¿Qué es lo que en realidad temes? ¿Qué mal podría amenazar a quienes viven encerrados entre cuatro paredes?

Ah, mi vecina busca envilecernos. Su pupila, siempre agazapada, no deja de mostrar una furia incomprensible hacia nosotros. Tu hijo, que ha entendido, ahora también juega agazapado. Somos vigilados por una mujer que se ha reducido a su carne gesticulante, una mujer aterrada de sí misma que consigue, en el poder de su mirada, algunos instantes de entusiasmo con los que aligera su monótona vida. Ella realiza, desde su ventana, acciones desconectadas y en gran medida apáticas, una serie de acciones en las que apenas se disimula el balbuceo de un raudal de palabras ofensivas. Mi vecina es la mejor representante de un procedimiento ciudadano que me parece cada vez más escabroso. Un procedimiento a través del cual ella remueve sus cromosomas mal pactados al interior de su lamentable anatomía.

La vigilancia ahora se extiende y cerca la ciudad. Esta vigilancia que auspician los vecinos para implantar las leyes, que aseguran, pondrán freno a la decadencia que se advierte. Ellos han iniciado actividades que carecen de todo fundamento como no sea dotarse de un ejercicio que les permita desentorpecer sus ateridos miembros. Tu hijo y yo ahora nos movemos entre las miradas y un frío inconcebible. Sin embargo, tú te atreves a dudar de mis palabras y con eso buscas disculpar a mi vecina. Me acusas de ser la responsable de un pensamiento que, según tú, alude a una posición asombrosamente ambigua, o que mis aseveraciones, como has dicho, son el resultado del efecto anestésico de un peligroso sueño.

Con tus juicios, quieres hacer de mí, la imagen de una

mujer que miente. Una mujer que miente, impulsada por un creciente delirio. Te digo -y eso bien lo entiendes- que tus palabras representan el modo más conocido y alevoso de la descalificación. De esa manera es que te niegas a aceptar que mi vecina me vigila y vigila a tu hijo, y en este instante me parece que tú mismo te sirvieras de su enfermiza mirada para beneficio de tus propios fines.

Me pregunto, ¿qué es lo que te perjudica de nuestra conducta? Si bien entendí tu reciente carta, te altera el que yo quiera promover en tu hijo un pensamiento que te parece opuesto a tus creencias, dices también que soy yo la que intento apartar a tu hijo de una correcta educación y hasta llegas a afirmar que es mi propia conducta la que te inspira desconfianza, pues ya más de un vecino te ha descrito mis curiosos movimientos.

¿No será el delirio en el que me implicas, lo que en verdad dirige tu letra? ¿Acaso olvidas que fui yo misma la que te previne del problema escolar al que se enfrentaba tu hijo? ¿Y no olvidas, también, que mis palabras no recibieron de ti la menor atención? Tu hijo fue expulsado de la escuela y ahora yo debo preocuparme por su enseñanza. Debo hacerlo a pesar de la violencia del frío que mantiene a la ciudad casi paralizada. Ah, el frío sigue y sigue cruzando la casa, congelando hasta los más ínfimos rincones. Tu hijo se mueve entre esta inaceptable temperatura con una actividad que siempre me sorprende. Atraviesa la casa a una gran velocidad y, en ocasiones, se golpea contra las paredes. Sus golpes, sin embargo, no me alarman. Yo misma me he golpeado demasiado por súbitas caídas, en accidentes inevitables, por distracciones legítimas. No me asustan pues sus golpes, lo que me descompone son sus carcajadas que parecen multiplicarse en medio de este frío, como si con su risa pretendiera derrotar a esta insoportable helada. Tu hijo se ríe con un sonido que me resulta tan destemplado como el frío que nos cae encima, y hace caso omiso del malestar que me provocan esos ruidos. Mis días transcurren soportando su risa y evadiendo la custodia de mi insistente vecina.

Pero, a pesar de estos inconvenientes, tu hijo y yo gozamos, durante ciertas horas, de una extraordinaria paz. Una paz que me parece más real, más lícita y mucho más brillante que la reglamentación que tú, no sé desde cuál capitulación, quieres obligarnos a aceptar.

Este atardecer se presenta plagado de signos que amenazan. Las calles muestran una tonalidad que me resulta difícil describir. Ah, el atardecer se deteriora y se desploma con un increíble dramatismo. En este instante, tu hijo se ha dormido al lado mío. Su cabeza se sacude y se sacude como si quisiera aniquilar las imágenes de un terrible sueño. Cubriré su cuerpo con una manta de lana. Debo buscar una cinta de colores para rodear su cintura.

Me Siento inmersa en una noche infinita, plena de subterfugios amenazadores. Tu hijo no duerme en esta noche y juega de una manera veloz, escenificando a un espacio sitiado que no le permite ya ninguna salida. Ah, si hubiera alguien con quien compartir nuestros ojos abiertos, desvelados, enrojecidos. Ahora llego a pensar que esta noche podría no terminar nunca, estimulada por un frío que no sé en cuánto más podremos resistir. El frío de la noche se vuelve asombrosamente tangible, arruinando mis piernas y mi espalda, lacerando hasta el último hueso de mi brazo. Sabrás pues que el escribirte representa para mí un sobrehumano ejercicio. Se nos han terminado ya todas nuestras provisiones y debo salir, en cuanto empiece a amanecer, hacia las calles en busca de alimentos.

Dices que un vecino te ha informado que han desaparecido algunos objetos de mi casa. Sí, es verdad que he vendido algunas de mis pertenencias, pero sabes que cuento con el privilegio, si así lo estimo conveniente, de deshacerme de mis propios bienes. Ni siquiera abasteces las necesidades de tu hijo y aún osas inmiscuirte en la forma en que procuro nuestra subsistencia. Tus acusaciones están plagadas de impudor y no sé con qué palabras ya exigirte que sólo te limites a inquirir sobre aquellos temas que puedan favorecer el crecimiento de tu hijo. Pero, para tu consuelo, te diré que me he deshecho sólo de los objetos que menos atraían mi interés, apenas de unas cuantas piezas que presentaban una pequeña falla y que siempre intranquilizaron a tu hijo. Me he enterado de que ahora adornan los salones de algunas de las casas cercanas y están dispuestas en lugares centrales. Mis vecinos se acicalan pues, gracias a tu inalterable displicencia.

Me parece que sólo buscaras profundizar mis sufrimientos cuando insistes y vuelves a insistir en que la expulsión de tu hijo se originó en un conjunto de artimañas que yo le fui inculcando de manera deliberada. Pero, no quiero volver más sobre ese doloroso episodio que puso en evidencia el mal comportamiento de tu hijo.

Debes de saber que aunque mi cariño hacia él es ilimitado, algunas veces su mente me fastidia. Su mente se empecina en mostrar un dramatismo que tiene algo de aritmético. No sé cómo podría explicarlo, pero intuyo al interior de su cerebro un proceso altamente numérico que altera mi moderación. Un proceso que le extravía el pensamiento y que desencadena sus irritantes carcajadas. Es odioso y vulgar para mí tener que presenciar esas operaciones que se acumulan en su mente sin el menor sentido.

Sin embargo, tu hijo tiene a su favor recursos divinos. Aparece divino cuando pasa de habitación en habitación y deja de lado sus terribles carcajadas para realizar pequeños actos de valor universal. Sus actos universales radican en su propio cuerpo y los ejecuta con la versatilidad de una pieza de baile creada para figuras condenadas. Parece que, en esas ocasiones, él se sumergiera en otro tiempo, en un tiempo que yo no conozco, que no reconoceré nunca. Siento entonces que es la mente más brillante que habita la ciudad. Le consiento ensoñaciones, sueños de venganza, miradas oblicuas, balbuceos. Se lo concedo con creces, sacrificando la multitud de mis propios sueños, mis deseos de dejarlo perdido deleitándose en la próxima forma que tomará nuestra soledad.

Es conveniente que dejes de simular una preocupación que en realidad no experimentas. Sabes que me siento amenazada por mis propios vecinos y que necesito de la mayor tranquilidad para resistir sus embates ahora que ellos han conseguido convertir la vigilancia en un objeto artístico. Debo cuidar de que tu hijo no estropee con sus carcajadas las leyes que penosamente nos amparan. Uno de mis vecinos tiene el pie deformado y el dolor le ocasiona una artificiosa cojera, una cojera impostada que me llena de vergüenza. Como ves estoy expuesta al cerco de un hombre baldado. No seas tú entonces el que termine de aniquilar nuestra casa con comentarios que, sabes, derrumban como nada mi ánimo.

Quiero que comprendas que cuando el pensamiento de tu hijo se tuerce, ese defecto atormenta mi espíritu. Mi espíritu también se tuerce en esas ocasiones. Pero tú, aunque no habitas con nosotros, te encargas de inyectar en mi espíritu la mayor dosis de inseguridad y apareces en mí más implacable que el azote del frío.

Te pido que entiendas de una vez que te escribo derrumbada. Me amanezco escribiéndote. Supieras cuánto me derrumbo en cada amanecer. Ahora va a empezar el día en cualquier momento. Tengo que poner mi cuerpo en condiciones para sortear la helada de la calle. Saldré de un instante a otro hacia la calle. Lo haré, y tú muy bien lo sabes, un poco exasperada, bastante sigilosa.

Pienso que tomaste una decisión apresurada. Aún no me siento convencida de que tu hijo, por ahora, deba de volver a la escuela. Sería para mí demasiado fatigoso tener que atender esos asuntos. El frío no se detiene y ya se ha vuelto circular. Está iniciándose una noche que anuncia la llegada de una tempestad. Este invierno se extiende y se extiende, contraviniendo su particular naturaleza, desafiando abiertamente a las otras estaciones. La bruma no hace sino transitar a través de las calles de una manera dramática, dejando una estela de crueles presagios a su paso.

Tu hijo no puede volver a la escuela por ahora. Sería nocivo para él y para mí. No quiero discutir esta decisión pues tus mandatos sólo consiguen agotarme más de lo que merezco. ¿Cómo no te das cuenta de que es pedirnos demasiado en los momentos en que necesitamos de un absoluto descanso? El frío ha alcanzado en los últimos días niveles insostenibles y nadie ha dado una explicación convincente para esta situación. Ahora mismo se dejará caer una tormenta irremediable. El sonido de los truenos me resulta descarado, pero estoy cierta de que tu hijo sería capaz de sobrepasar esos sonidos con sus carcajadas. No podría asegurar que la crueldad de este invierno sea peor que los juegos con los que a diario se deleita tu hijo.

Te suplico que no vuelvas a insistir en su palidez. Como sabes, la piel en la niñez es absolutamente sorprendente. Tu hijo pertenece a la especie de los que poseen una tenue armonía y me resulta absurdo e insidioso de tu parte adjudicar a una enfermedad lo que constituye el centro de su belleza. Con tu alarma sólo consigues provocarme daño, pero, también entiendo que la desconfianza que demuestras, no es más que una argucia que disimula tu propia indiferencia. Te has dedicado a unir cuestiones totalmente distintas. Por ahora tu hijo no volverá a la escuela y mi decisión es intransable. No existe el inconveniente que señalas, sólo debes postergar el compromiso que tomaste. Aduce lo que quieras ante la nueva escuela, hasta que me sienta en condiciones de enfrentar con serenidad esa nueva etapa con tu hijo.

Afuera ha estallado una impresionante tormenta. Ah, si vieras cómo en el cielo se abre un multiforme campo de batalla del que estoy recibiendo unos ecos desesperados. Asisto a una escena dotada de una soberbia que puede resultar letal, un espacio ilimitado en el que se debaten pasiones insolubles. Me asusta la tempestad, pero, pese a este desastre, tu hijo duerme acrecentando aún más mi desagrado. Tu hijo, algunas veces, se ríe en sus sueños. Sueña en medio de una risa que me resulta tolerable y, en esas ocasiones, ha bastado que me dirija hasta su lecho para tocar su frente y mi gesto ha logrado que su risa se transforme en un dulce gemido.

Estoy fatigada y plena de desconcierto observando esta tormenta. No puedes imponernos reglas por las que no podrás velar para su cumplimiento. Tu hijo volverá a la escuela cuando nuestro estado se revierta. Todo este tiempo te has mostrado excesivamente obstinado, no permitas que te ciegue la naturaleza que rige tu carácter, recuerda que yo no quiero sino la felicidad de tu hijo y el que vuelva ahora mismo a un ambiente asfixiante, sólo sería un motivo más de desdicha. Ya es bastante el peso que debemos sobrellevar por la audaz vigilancia que han adoptado mis vecinos. Sé que comprenderás la lógica de mi decisión. No te hagas parte de un orden de Occidente que puede terminar en un fracaso irrebatible.

OH, DIOS. Tu insistencia se transforma en una feroz arma que usas una y otra vez para atacarme. Parece que hubieras salido de ninguna parte cuando decides ignorar el modo en el que habita una familia. Presentas ante mí una incertidumbre que no puede ser legítima y te complaces en preguntar sobre costumbres que aun las más ínfimas de las especies animales organizan.

Si tu hijo no asiste en este tiempo al colegio, significa que sus horas se dividen en diversas y útiles actividades. Sabrás que también existen otros conocimientos además de los que imparte la escuela. Tu hijo aprende, por ejemplo, el impresionante dilema que contienen las habitaciones, el misterio que encubre la distancia que separa a la oscuridad de la luz, la dimensión y el rigor que ocupa la techumbre, el pasado que ofrecen los rincones. ¿Por qué vuelcas sobre mí todas tus inquietudes? ¿Qué te hace no atender a los problemas reales que te expreso?

El verdadero conflicto que afrontamos descansa en los vecinos y en el conjunto de sus intolerancias. Ahora, gracias a ellos, la ciudad que en algunas horas y por obligación recorro, me parece un espacio irreal, un lugar abierto hacia lo operático y hacia lo teatral. Un resto de tales proporciones que puedo augurar que pronto quedará librado a la anarquía. Este trastorno es imputable del todo a los vecinos. Ellos intentan establecer leyes que nadie sabe a ciencia cierta de dónde provienen, aunque es evidente que urden esta acometida únicamente para incrementar los bienes que acumulan en sus casas. Pero yo advierto con precisa claridad cómo se debaten en medio de una indescriptible conciliación y aluden a desmanes que no sé si sólo ocurren en sus mentes. Siento que los vecinos quieren representar una obra teatral en la cual el rol del enemigo es adjudicado a los habitantes que no se someten a la extrema rigidez de sus ordenanzas.

Los vecinos sostienen que la ciudad necesita de una ayuda urgente para poner en orden la iniquidad que la recorre. Afirman que la ciudad ha sido abandonada por la mano de Dios y yo pienso que si eso fuera así, se debe únicamente a la avaricia de los hombres. Es verídico que las avenidas principales han perdido todo su prestigio y que los vecinos más poderosos ahora trepan hacia los confines, cerca de las planicies cordilleranas, para sortear la pesadumbre de la crisis. Sin embargo, lo que ellos en realidad encubren, es que no quieren pertenecer a un territorio devaluado y que están dispuestos a iniciar cualquier medida para salvarse de una terrible humillación. Por eso van de casa en casa transmitiendo leyes que carecen de sentido. Nuevas leyes que buscan provocar la mirada amorosa del otro lado de Occidente. Pero el otro Occidente es terriblemente indiferente a cualquier seducción y sólo parece ver a la ciudad como una gastada obra teatral. Sé que ya estás enterado de que lo que pretenden los vecinos es gobernar sin trabas, oprimir sin límites, dictaminar sin cautela, castigar sin tregua.

¿No piensas acaso que es difícil sobrevivir en una ciudad tan asediada? ¿qué haces tú para aliviar mi vida y la de tu hijo? El temor que experimentas de que en tu hijo se interrumpa el caudal de sus conocimientos es completamente absurdo pues, al revés, se incrementa día a día. Eso no debiera ser una fuente de aprensión. Más bien deberías inquietarte por la vigilancia que sobre nuestra casa ejercen los vecinos y hacer todo lo que estuviera a tu alcance por protegernos de esa persecución malsana. Es quizás arriesgado de mi parte aventurar un juicio sobre tu comportamiento, pero en ocasiones pienso que estás confabulado con las peligrosas normas que intentan imponernos; de otra forma, no volverías siempre sobre los mismos temas. Tu hijo pasa ahora por lo que considero que es su mejor momento. Lo único que nos frena es la virulencia de este frío. Ah, el frío. Es tanto el frío que mi mano se desencaja y me entorpece la letra. Las palabras que te escribo están guiadas por una razón helada. No me obligues pues a más de lo que ya me obligas. ¿No has aprendido acaso que lo humano se estrella contra sus propios límites?

Mi Mano tiembla mientras te escribo. Tiembla como si la atacara un huracán en medio de un despoblado. Tu madre ha venido hoy a visitarnos como tu emisaria. Pero, dime, ¿era necesario hacernos pasar por una humillación de tal naturaleza? Tu madre se atrevió a entrar en nuestra casa buscando no sé qué clase de delito entre las habitaciones. En esos momentos yo dormía y fue tu hijo el que me advirtió de su llegada. Tu hijo me despertó impulsado por el pánico pues ya sabes cuánto odia la intrusión de desconocidos. Ah, no te imaginarías, pero calmarlo constituyó para mí una verdadera hazaña.

Afortunadamente la bruma nos trae una apaciguante media luz diurna que diluye la expresión de las facciones. La bruma hoy fue favorable para soportar el inquisitivo rostro de tu madre. No encuentro las palabras que expresen la desazón y la angustia con las que hube de atravesar este día. A lo largo de estas horas me he paseado insomne por las habitaciones, maldiciéndote. Tu hijo, después de la visita, jugó de una manera tan frenética que se ocasionó el peor acceso de risa de los últimos meses. ¿Desde qué libertad es que te permites esos gestos? ¿qué mal te hemos ocasionado para que nos hagas caer en este estado?

Las palabras de tu madre contenían una insolencia poco frecuente, una insolencia envuelta tras una engañosa fachada de amabilidad. Tu hijo y yo estábamos avergonzados por su conducta, sin saber cómo comportarnos en nuestra propia casa. Incluso se atrevió a darme sugerencias para aumentar la luz que nunca hemos deseado. El frío y la claridad me parecen totalmente incompatibles. Tu hijo -y así te lo he manifestado- siente más placer con la opacidad. El tiene un extraordinario sentido para encontrar entre la penumbra todo tipo de objetos. ¿Lo entiendes?, dime, ¿lo puedes entender?, porque, tú sabes, ésa es una cualidad que le va a permitir en su futuro traspasar los más duros obstáculos. La penumbra nos trae la escasa felicidad con la que contamos. Pero tu madre, empecinada en destruirme, buscó asociar nuestro regocijo con la palidez, que a su parecer, tenía el rostro de tu hijo.

En ese momento comprendí que tu madre más que en tu emisaria se había convertido en mi enemiga. Tu madre, hablando por tu boca, aludió sin cesar a la palidez de tu hijo. Para tranquilizarla, debí pasar por la terrible prueba de poner el rostro de tu hijo ante la luz para que ella lo examinara. Ah, aún no sé en dónde encontré la fortaleza para hacerlo. Tu hijo se estremecía, aferrado a mi vestido, intentando sortear la luz que lo encandilaba. Tu madre después se retiró anunciándonos una pronta visita.

Es preciso que le comuniques que no toleraré otra irrupción semejante. Pero, a pesar de mis palabras, debo reconocer que tu madre estaba extremadamente bella, recorrida por una impresionante perfección occidental, como si el frío a ella tampoco la perjudicara. Entendí que entre tu madre y tu hijo se alternaba una similar jerarquía orgánica. Quise hablarle de cómo compartían parte del mismo valor genético, pero su adversa actitud pronto me desanimó. Te has encargado de sembrar en tu madre un gran prejuicio hacia nosotros. Te anuncio que desde este instante le cerraré todas las puertas de la casa. Como ves, tu agresión puede ser fácilmente diluida.

Quiero convencerte de que tu saña ha motivado en mí una imagen admirable. Te mataré. Sí. Te mataré algún día por lo que me obligas a hacer y me impides realizar, tiranizándome en esta ciudad para dotar de sentido a tu vida, a costa de mi desmoronamiento, de mi silencio y de mi obediencia que a través de amenazas irreproducibles has obtenido. Es inconcebible la manera en que utilizas a tu madre para que invoque el nombre del amor por tu hijo con sus ojos clavados en el cielo. Te mataré algún día para arrebatarte este poder que no te mereces y que has ido incrementando, de manera despiadada, cuando descubriste, allá en los albores de nuestro precario tiempo, que yo iba a ser tu fiera doméstica en la que cursarías todos tus desmanes.

Te mataré bajo la sombra de un árbol para no fatigarme mientras empuño el arma que dejaré caer sobre tu cuerpo infinidad de veces hasta que hayas sido asesinado para siempre. Deseo matarte en los momentos más álgidos de una tormenta, en donde tus estertores se confundan con el exquisito sonido del eco de un trueno y tus convulsiones se asemejen al dibujo de un rayo con el que me amenazas cuando me condenas a la intemperie, para que me deshaga un rayo como ha dicho tu madre, a gritos, cuando se desata el pánico de una tempestad.

Porque, dime, ¿no te resulta avergonzante el beneficio que has obtenido manejando a la distancia nuestras vidas al interior de la casa? Tú expropiaste todas mis decisiones al hacerte el dueño de nuestros pasos y con eso has garantizado tu propia sobrevivencia. Y yo, te mataré, ya lo verás, por estas y otras razones que iré decantando entre el frío de estos días, continuaré profundizando de hora en hora, mientras me tiendo sobre los hilos soberbios de los minutos en los que me arriesgo a la crueldad de la temperatura. Porque habrás de saber que este frío es cruel y me devasta y me agota aunque yo misma me obligue a soportarlo al interior de mi cuerpo contagiado. Has adoptado conmigo los antiguos hábitos que ya habían caído en desgracia y que fueran repudiados incluso por la poderosa historia de la dominación que los hubo de eliminar por inhumanos, relegándolos a la historia de las barbaries. Pero tú, que tuviste noticias de esas horribles prácticas, las repusiste conmigo a pesar de saber bien que las antiguas víctimas se rebelaron y aunque muchas de ellas sucumbieran, otras lograron la liberación y la caída de esas salvajes costumbres.

Adoptaste conmigo los antiguos hábitos porque estás a la espera de mi levantamiento en donde mi insurrección se enfrente con la tuya y me obligues, de una vez y para siempre, a medir nuestras fuerzas. Pero no te otorgaré ese placer, porque yo sé que no sabes cuáles son las fuerzas que me mueven, con qué fuerzas, que no sean las tuyas, me mantengo a pesar de la hostilidad de todos los climas y eso te exaspera, te exaspera en tal forma que tú, que eres en extremo cuidadoso, permites que en tus cartas aparezca la duda y aflore la perniciosa necesidad de que yo me haga frontalmente tu enemiga.

Jamás mediré mis fuerzas con las tuyas y continuaré aceptando, con aparente resignación, este sometimiento urbano al que me has obligado, y las amenazas bárbaras a través de las que demandas mi insurrección. Mi insurrección, por el momento, son únicamente ciertas caminatas calle abajo y que aún así te dejan estremecido por el pánico.

Pero es allí, en plena calle abajo, donde consigo las imágenes que me acompañan después, entre la soledad de la noche, y que si lograras adivinarlas quedarías estremecido por el terror.

En unos instantes cerraré los ojos extasiada, bailaré de manera solitaria pensando, extasiada, en el momento en que deberé matarte de una manera justa y definitiva. Te mataré entre el maravilloso decoro de los bosques y protegida por tu hijo que se mantendrá a una distancia prudente, conmovido por la precisión de cada una de las estocadas con las que pondré fin a tu existencia. Sólo pienso ahora, durante todos mis ateridos minutos, en qué muerte será digna de tu cuerpo y cuál de todas las heridas estará al alcance de mi mano.

Debo disculparme y reconocer que mis palabras fueron precipitadas, guiadas por un torpe e infantil enojo. Quiero que perdones mis ofensivas y letales imágenes. El frío me hizo cometer un terrible desacierto. Te suplico que intercedas y me salves. Es necesario evitar llegar a ese desatinado juicio que se apresta a iniciar tu madre. Jamás pretendí herirla ni menos privarla de su legítimo derecho a visitar a tu hijo. Comprendo el esfuerzo que ella ha realizado al cruzar de extremo a extremo la ciudad para encontrar, al final de su camino, nuestra casa cerrada. Sé que el clima daña su salud y sé también que las calles están plagadas de desamparados a los que ella les teme y, para evadirlos, debe emprender múltiples rodeos que extienden aún más su penosa caminata. La salud de tu madre es delicada y no tienes que recordarme que debe pasar la mayor parte de sus días recluida en su pieza para aminorar la anemia que la diezma. La sangre de tu madre siempre se ha mostrado contraria a su organismo y hasta parece que te olvidas en cuánto hube de asistir su enfermedad durante aquel aterrador verano en el que la ciudad quedó casi deshabitada.

Recuerdo a tu madre debatida entre el bochorno y los escalofríos, la recuerdo acosada por una muerte que intentaba tenderse encima de ella como un amante torpe que hubiera pretendido una inmediata y banal consumación. Jamás me atrevería a afirmar que le salvé la vida, pues el que ella sobreviviera fue el prodigio de un empeño mayor dictado por su propio deseo. Tu madre, en esos momentos, jugaba con la muerte movida por quizás cuál veleidoso capricho. Yo fui la testigo de su juego y la vi emerger como la triunfadora al cabo de una agotadora apuesta. Tu madre burla constantemente la composición de su sangre y, en ese inédito verano, llevó a efecto la más álgida contienda para purificar su cuerpo.

Sé que tu madre se hastía y es así como sobrepasa la monotonía que le ocasiona su considerable belleza. Al igual que ella, considero que su belleza occidental es inútil, pues sólo consigue desgastarla con miradas que la escudriñan como si se tratara de un objeto sagrado. Salvo tu nacimiento, ninguna mácula pareciera haber tocado su carne y eso la privó para siempre de la felicidad. Entiendo que se divierta con la muerte para sentirse viva y se obligue a inducir la contaminación al interior de su propio organismo. Tu madre siempre ha inspirado en mí los mejores sentimientos y jamás estuvo en ninguna de mis partes la intención de privarle la entrada a nuestra casa. Pero no puedo aceptar la oferta que nos hace. Tu hijo y yo, ya hemos determinado cómo viviremos. Para tu madre nuestra compañía sólo sería un disturbio mayor para su salud.

Debes aconsejar a tu madre que desista y decirle que aceptaré que nos visite cuando yo haya sido convenientemente advertida. La causa que me anuncia la he ganado de antemano porque tu madre es una mujer enferma. Los jueces pues, ¿ante quién se inclinarían? Pero te confieso que me aterra presentarme ante los jueces, no pueden hacerme pasar por ese vejamen otra vez. Transmítele mi deseo de que llegue hasta nuestra casa y dile que concedo todo lo que solicitó en torno al modo en que se debe vestir tu hijo.

Debes comunicarle todo esto en seguida. No quiero que su idea envenene aún más el difícil paisaje en que transcurre nuestra vida. Suspendamos de una vez estos estériles pleitos. Quiero que estés seguro de que mi mano jamás se volvería en contra de tu cuerpo. Tu hijo permanece ahora a mi lado y ha dado su consentimiento a cada una de las palabras que te escribo. El está ahora maravillosamente vestido de azul. Dime, ¿por qué el azul sería un color tan indecoroso para ustedes?

Haces gala de una extraordinaria precisión con las palabras. Tú construyes con la letra un verdadero monolito del cual está ausente el menor titubeo. Tu última carta estaba llena de provocaciones, plagada de amenazas, rodeada de sospechas. Una carta que, en el conjunto de las seguridades que se expresan, me resulta descarada.

Entiendo, desde el énfasis que despliega tu carta, que tú y tu madre no ven más salida para nuestras diferencias que el inicio de un juicio. Un juicio que me separe de tu hijo y que aleje de él, lo que denominas, como mi negativo ascendiente. Pero, ¿qué es lo que en realidad persigues? ¿Pretendes acaso llenar de satisfacción a tu descontenta madre? ¿Piensas, por un instante, que ella obtendrá así el lugar que tanto necesita? ¿Por qué no te detienes a enjuiciar su comportamiento?

Tu madre vive como si no viviera, buscando por todos los rincones un mal abstracto, lo busca con una implacable voluntad que quiere destruir todo aquello que obtaculice su camino. Pienso que lo que espera, en realidad, es conjurar la multiplicidad de sus propios miedos, el temor que siente frente a cada esquina, su notorio espanto ante la posibilidad de que se resquebraje un muro. Y detrás de su miedo, yace el pánico que experimenta a que tú no consideres sus palabras. Tu madre, insisto, vive como si no viviera y por eso ha decidido envolverme en una serie de mentiras. Porque mentiras son la que te comunica, falsedades son las que sustentan la idea de este juicio.

Sin embargo, pareciera que tu madre ya hubiera dado

inicio a una causa cuando me interroga, busca, duda, me presiona durante sus intencionadas visitas. Su cuerpo entra en un estado de extrema tensión, su oído se dilata alertando a su entreverada masa cerebral y, algunas veces, hasta su lengua se ha trabado y en su garganta se confunden las preguntas. Tu madre, que no vive, habita sólo el lugar del miedo, su increíble pavor de perder el lugar de la emisaria. Tu hijo se ha convertido para ella en un pretexto que le permite actuar sus inestables fantasías y lo persigue y lo acosa y luego se demuestra insatisfecha ante cada uno de sus actos.

Tu hijo se defiende y le oculta el prodigioso desarrollo de un impresionante juego corporal. Juega a las apariciones y a las desapariciones, su cuerpo se ausenta y se presenta, cae y se levanta, se enreda sobre sí mismo, huye, se fuga, se amanece luego de una larga vigilia, se conduele del estado de sus miembros. El realiza con su cuerpo una operación científica en donde se conjugan las más intrincadas paradojas. Porque, dime, ¿no piensas acaso, al igual que tu hijo, que el cuerpo es el reducto de la ceremonia? El ha comprendido el oficio rebuscado del cuerpo y en su juego hace chocar constantemente el goce con el sufrimiento de la misma manera en que conviven la carne con el hueso. La ceremonia avanza, se detiene, se deposita en el fragmento de un órgano. Su estómago que pulsa, la cadera. La pureza del ojo ciego y visionario. Un maravilloso movimiento circular de su brazo. Y de pronto, en un instante, el cuerpo de tu hijo se aproxima a la pulverización. Cuando eso sucede, me alarmo y me retiro, pero él después aparece ante mí, recompuesto, como si jamás hubiera experimentado el instante de un límite.

Sabrás que el cuerpo sedentario de tu hijo batalla contra el nomadismo de sus miembros. Pero yo hoy debo batallar con tus palabras, debo remover tus expresiones, mientras me mantengo como la guardiana de tus cartas en medio de este frío que atenta contra las necesidades visibles de mi cuerpo. Quiero pedirte que abandones la amenaza, las sospechas, busca para tu madre una nueva diversión. Lo que en verdad te estoy pidiendo es que no vuelvas a mencionar la posibilidad de un juicio.

Ah, escucha, en las calles se ha instalado el gobierno de la parte prohibida de lo público. Mi vecino recorre la parte prohibida de las calles y, en este mismo momento, lo observo desde mi ventana. Se acerca cojeando en medio de esta relativa oscuridad. La oscuridad que lo envuelve parece que sólo perfilara el notorio contorno de su mal. Mi vecino observa el movimiento de las calles a hurtadillas, escondido, como si hubiera visto más de lo que su mirada puede resistir. Después se abandona y cierra sus ojos largamente.

CUÁN POCO te refieres a ti mismo en el contenido de tus cartas. Si bien entiendo tus palabras, pareciera que de los dos, soy la única que vivo. Y es la vida que me otorgas la que te motiva a amenazarme con un juicio que, según tú, hará público el conjunto de mis malos hábitos. Pero no vivo la vida que aseguras que vivo. Los trucos de tu madre, las historias, las sospechas y su desconcierto, son arrebatos de ella misma que me los adjudica. Ustedes me hacen vivir pues una vida que pertenece íntegramente a los deseos y a los miedos que embargan a tu madre. Me he preguntado, algunas veces, si es que ella no te regala esta historia ficticia para prevenir, de esa manera, que caigas en el centro de una maligna soledad.

¿Cómo es que pretendes hacerte propietario de una vida que supones que es la mía y que sin embargo no me corresponde? ¿Acaso no quieres reconocer que estás atado a una palabra falsa? ¿Por qué no puedes aceptar que mi ser es para ti del todo inalcanzable? Ah, sin embargo sé que no emprenderás un juicio con unas pruebas tan débiles. Si escojo dormir a ciertas horas y no en las que me demandas, se debe a una simple necesidad de mi organismo y es mi organismo el que me hace preferir unos alimentos cuando rechaza otros, de la misma manera es estrictamente personal el cómo me relaciono con tu hijo. Es verdad que los lazos entre tu hijo y yo no están pensados como un espectáculo ante extraños, pero en nuestra privacidad alcanzamos momentos esplendentes, cuando logramos acordar que habitamos en un mundo mutilado.

No hay ningún mal infiltrado en mi comportamiento que

pueda perjudicar a tu hijo, sabes que soy más proclive al bien que al daño. Lo único que me desgasta y me desagrada son las formas en que tu hijo lleva adelante sus juegos, cómo su diversión lo lleva al borde del quebranto. No te imaginas cuánto pueden afligirme las carcajadas de tu hijo, esa risa compacta, la terrible cerrazón de su garganta. Pero su risa no justifica la actitud de tu madre. Ella me ha confesado que le teme. Cuando se adentra en nuestra casa, su espalda no parece tranquila y a cada trecho se voltea para comprobar si tu hijo la sigue o si su figura la amenaza. No dirás pues que en tu madre se albergan los mejores sentimientos hacia tu hijo cuando sospecha que él puede ser su victimario.

Deja ya la idea de ese juicio, no pretendas que vuelva a representar ante los jueces al animal escapado de su madriguera. Sé que un juicio llenaría de placer a los vecinos quienes se alborotarían por llegar ante las cortes para seguir con incontenible placer los cargos en mi contra ¿Estás acaso preparando una fiesta a mis vecinos? Pero es tu madre, sé que es tu madre la que te impulsa a esas ideas, veo en ella una sed que nadie podría describir y un odio hacia nosotros que no sé cómo se sigue perfeccionando entre los hilos de su cuerpo atormentado. Quizás ella aspira a que yo pague con mi cuerpo el costo que le ocasiona su teatral enfermedad.

Tu madre propaga crueles noticias en la calle que comprometen y lesionan mi honra. Al pasar he escuchado una sucesión de rumores exasperantes, una acumulación de mentiras que los vecinos repiten como si toda esa farsa hubiera acaecido. Debes poner un orden sobre esas perversas palabras. Te lo advierto; mi destino no será servir a tu destino aunque hayas comprendido la maravillosa ductilidad que tiene mi organismo y quieras establecer una apretada confabulación con tu madre para hacer de mí, en el cautiverio, tu fiel comisionada. Pero no te confíes y cúidate del extremo al que llevas tus actos. Mis pies pueden llegar a adquirir un valor inconcebible y estaremos a una distancia desmedida cuando lo humano de mí se haya rebelado. No existe nada en el acto de la huida que me espante. Sabes que mi cuerpo es capaz de entrar en una aguda penitencia y puedo convertir mi vida entera en la forma más profesional y primitiva que demanda la fuga.

Ah, no puedo dar crédito a lo que me escribes. ¿Acaso buscas desquiciarnos? ¿Cómo podríamos vivir en la casa de mis padres? Sabes que mi madre murió cuando yo tenía dos años y mi padre cuando apenas cumplía diez. Estás enterado de que tuve una infancia solitaria, fatigosa y trágica, una infancia fatigosa, en parte, reparada por el maravilloso paisaje en el que se perdieron muchas de mis horas. Era allí, entre los árboles, donde se produjeron mis más bellas imágenes. Amparada por las hojas de los árboles adiviné que un día llegaría tu hijo hasta mi vida. En esos años precaví todo lo que le brindaría; lo vestí, lo alimenté, participé en cada uno de sus juegos, observé emocionada su irreversible crecimiento. Lo cuidé prolijamente en cada enfermedad. Tu hijo nació, entonces, antes en mi mente que en mi cuerpo y eso lo hace doblemente mío.

Forjé precozmente en la naturaleza de los bosques, el tono de lo que conformaría mi naturaleza. Los bosques son una materia semejante a Dios. La primera vez que me interné por ellos, vi cómo iba desapareciendo el cielo entre la cúpula de los árboles. Los árboles representaban la memoria de un tiempo inmemorial y yo allí, fuera y dentro del tiempo, comprendí de pleno la fragilidad, toda la impureza que comportaba mi especie. Sin cielo posible, me enfrenté a un frío que no pude sino asociarlo al nicho en el que un día iba a perderme para siempre. Me encontré, ausente de todo sobresalto, con un hielo que me obsequiaba la aparición anticipada de la muerte que le fue ofrecida a mi cuerpo aún en pleno crecimiento. Ah, recuerdo vívidamente cómo caminé por el medio de ese bosque con un profundo orgullo y un asentado sentimiento de amor hacia mí misma.

Pero, no pretendo agotarte con mis recuerdos. La tos que tiene tu hijo es sólo un efecto nervioso causado por los trastornos que le producen tus increíbles requerimientos. Además bien sabes que la infancia incuba todas las enfermedades al interior de un organismo que emprende el ejercicio de vivir. Deja de preocuparme con tus inquietudes. Lo único que me parece incontrolable son sus juegos que acabarán por desquiciarme. Me has pedido que los describa, pero es imposible para mí hacerlo. Es una relación con los objetos que le provoca carcajadas que van subiendo y subiendo en espiral. Ahora tose y se ríe y se ríe y se ríe, mientras pasa velozmente de habitación en habitación persiguiendo algo que se escapa de mi vista.

Tu madre acude con regularidad y se va con una extraña prisa. No sé si me incomoda o me agrada su gesto. Es tu hijo quien se niega a verla y no puedo impedir que se encierre en uno de los cuartos. Tu hijo conoce los más extraordinarios trucos cuando quiere perderse entre las habitaciones. Desaparece aún frente a mis propios ojos. Forzarlo a permanecer sería imponerle un castigo que bajo ninguna forma se merece. Si tu madre no se resigna, pues indícale que suspenda sus visitas. O quizás debería de decir, sus inspecciones.

Sin embargo tu madre no se detiene. No la detienen ni el amanecer ni las horas más arrebatadas del crepúsculo. Ni siquiera la detiene la fuerza de mi desprecio. No responde aun al imperativo de su propio cansancio. Pero tú no serás el espejo de tu madre. Deja ya de proponerme cambios que no te he solicitado. Tu hijo y yo habitamos en medio de una perfecta armonía. Pienso que es adecuado que suspendas tu correspondencia por un espacio de tiempo. Nada resuelves sino que obstaculizas. No tengas la preocupación de que escaparemos a tu vigilancia, sabes bien que yo no tengo otro refugio como no sea mi casa. Te dejo libre de cualquier obligación para con nosotros. Vive desde ahora en paz. Libera también a tu madre de sus innecesarias fatigas.

CONTINÚAS al acecho como un feroz animal de presa. En las noches me imagino que estás con los dientes brillantes, listo para saltar sobre nosotros. Al fin me despojaste de lo último que me quedaba, de lo único que me aliviaba; me privaste del sueño. Me privaste del sueño para conseguir tu triunfo sobre mi cuerpo que se balancea al borde de un cataclismo. No duermo ya para protegerme o si lo hago mi sueño es sólo una constante convulsión. Sé que mis padres viven, tú sabes perfectamente que mis padres viven, pero, para mí, mi madre murió cuando yo tenía dos años y mi padre cuando apenas cumplía diez. No quiero extenderme ahora en torno a esta materia. ¿Cómo podrías obligarnos pues a habitar con una pareja de fantasmas?

Insistes en el imperativo de la correspondencia y en mi obligación de responder a tus cartas. Si no te escribo, dices, tomarás una decisión definitiva. Veo que le otorgas a la letra un valor sagrado y de esa manera me incluyes en tu particular rito sin importarte mis dificultades, como no sea el placer que te ocasiona tomar el control sobre mis días y el trabajoso incidente caligráfico en que transcurren mis noches.

Me pregunto, ¿habrás sufrido alguna vez un amanecer tan drástico como al que ahora mismo me enfrento? No sé en qué pacto, desde qué contubernio le ha sido concedido todo el poder al frío, pues para mí sólo se hace visible la forma en que hoy se ha desencadenado el odio contra nuestros desprotegidos cuerpos. En tus cartas le restas toda importancia al clima y con eso anulas mis palabras cuando me empujas hacia un hacer que el frío nos impide. Está bien, es verdad que cuando tu madre llega hasta la casa nuestro aspecto es somnoliento y en las habitaciones se ha alterado el orden. Acaso respiramos, comemos, nos movemos menos. ¿Cómo podría ser tanta nuestra actividad cuando esta helada nos reduce al estado de simples materias orgánicas? Incluso tu hijo, cuya vitalidad envidio, juega en estos días levemente, casi diría que en sus juegos los movimientos sólo actúan en el interior de su cerebro. Sus fuerzas exteriores se concentran en cambiar el orden de las habitaciones. Dispone los muebles en el centro de las piezas para así aminorar la inclemencia del tiempo, luego se refugia en los pequeños espacios que le permiten los sillones y apenas alcanzo a escuchar su risa que, por fortuna, es diluida contra la pared que forman los tapices.

Cuando tu madre llega, tiembla ostensiblemente a la vez que levanta un sinfín de críticas, que el frío, dice, que la calle, que el peligro de las calles, dice, que yo la empujo a exponerse al riesgo. Y dice mucho más mientras temblando me pide que le bese su mejilla helada, temblando también me ordena que le frote sus miembros, que están entumecidos, dice, y después inicia una acuciosa revisión a lo largo de la casa. Ah, tu madre y su mirada rapaz, su paso sigiloso como si quisiera sorprender la realización de una escena increíble detrás de los umbrales. Y yo debo seguirla tenuemente a medio camino entre mi propio temblor y sus estremecimientos. La sigo porque temo que su deleznable ronda pueda quebrantar la paz tras la que se refugia tu hijo. Tu madre me habla, indica, acusa, y descalifica todo lo que se le presenta ante su vista. Me reprocha sin contemplaciones como si ella fuera la inspeccionadora de un hospicio en ruinas.

Dice, cómo no va a decir, que sólo la mueve su abnegado deber hacia la familia, que pasará sobre el frío, pasará sobre cualquier obstáculo para proteger a tu hijo de mis malos hábitos. Que un juicio, dice, podría no sólo conseguir el bienestar para el cuerpo de tu hijo, sino especialmente liberar su alma. "Un juicio" -dice- "te mereces un juicio". Ah, qué sórdido recorrido hacemos en la pareja imperfecta que formamos.

Tu hijo, afortunadamente, se escabulle entre los muebles y allí sortea sus palabras. Pero sus carcajadas lo denuncian y abren otra serie de quejas en las que aparece la verdadera intención que mueve a tu madre. Mi aprensión es que en realidad ella deteste a tu hijo, después de todo, salvo tú, ha permanecido alejada del contacto. ¿Recuerdas el resquemor que le producía ser importunada? Pero no seré yo la que enjuicie a tu madre, sólo pretendo que cese este espantoso asedio, al menos mientras finaliza este invierno. Hoy amanece como si no amaneciera pues el cielo está completamente manchado, agrietado, diría. Ah, no sé con qué palabras describirte este cielo. Una manada de animales con hambre. Una siniestra, inalcanzable cúpula doblada contra sí misma.

SE ESCUCHAN voces por las calles, ruidos, movimientos que confirman que el clima empieza a cambiar de signo. Se terminan por fin los tiempos agobiantes. Incluso en tu última carta pude percibir un matiz distinto, como si hubieras terminado de entender la realidad de los problemas que te he expuesto. Tu madre, en estos días, se ha mostrado silenciosa aunque no por eso menos turbulenta. Ah, siento que ella es una mujer sobreviviente de quizás cuál oscuro cataclismo que le expropió, para siempre, la capacidad de armonizar sus fuerzas, reduciéndola únicamente a su adictiva precisión con los espacios cerrados.

Tu madre se altera en nuestro espacio cerrado. Se altera pues imagino que se remece la memoria de su propia catástrofe que, pese a que es del todo desconocida para mí, sí alcanzo a atisbar su invertebrada forma y recibo tangencialmente sus efectos. Pero tu madre se muestra ahora silenciosa, se presenta ante mí con una palidez que me llena de asombro. Con esa palidez occidental recorre la casa (la recorre menos irritada que antes, un poco ausente, la recorre como si no fuera responsable de sus pasos). Después se retira murmurando el inicio de una frase que no logra concluir, en medio de una mirada de desprecio concluyente. Cuando ella se aleja, tu hijo sale desde su escondite y comprendo que ha creado un nuevo juego que se va a resolver en una numeración infinita.

Después de su partida me dirijo hacia los centros de la ciudad y allí observo a los vecinos cruzando palabras que proclaman acciones fuera de todo lugar. Ya debes de estar enterado de que ellos se abanderizan en estos días de manera frenética, tomando posiciones cada vez más desafortunadas. Yo estoy cansada de escuchar sus desvaríos, pero no puedo evitar oír planteamientos en los que no creo, rozarme con personas a las que detesto. Los vecinos se aterran por ellos mismos y a pesar de sus deseos, la ciudad se derrumba, se derrumba en la soledad de su destino. Se percibe claramente cómo se profundizan las fisuras, veo zonas que se están viniendo abajo y percibo también que es la arrogancia occidental trenzada con el miedo lo que mantiene esta especie de fachada.

Los vecinos luchan denodadamente por imponer nuevas leyes cívicas que terminarán por formar otro apretado cerco. Seremos pues apremiados por órdenes que carecen de legislación como no sea la multiplicidad de impulsos que promueven los vecinos. Ellos me han exigido que yo avale sus planes y me han conminado, de manera terminante, a asistir a las reuniones que sostienen en sus casas. Pero no podría, no quiero prestarme a sus argucias. Yo sé que ellos persiguen una ciudad inmaculada que es inexistente. Si la consiguen, si la pudieran conseguir, me convertiría en una pieza más de esta ruda vigilancia. Entenderás ahora por qué yo rehuyo a los vecinos y no se debe, como lo ha dicho tu madre, a que yo espere que la ciudad se desmorone para siempre.

No asistiré a sus oscuras reuniones ni daré mi consentimiento para establecer esas rondas de vigilancia armada que proponen. Te he informado que uno de mis vecinos cojea de una manera espantosa, pero aún así, con esa deficiencia, recorre una parte de la ciudad con su ser destrozado entre el cansancio y la amargura, esperando encontrar no sé qué clase de corrupción cuando se desata el atardecer. Algunas veces creo que la vigilancia circular que él ha inventado, es únicamente un pretexto para exhibir su cojera. Si ellos han decidido volverse los guardianes de las calles, no veo por qué debo acompañarlos en su empresa. Te digo en forma terminante que no insinúes que sería positivo para tu hijo que yo forme parte de esa comunidad de seres tan obsesionados. Si estás tan conforme con las últimas medidas podría ser tu madre la que te represente. Los vecinos proclaman que es indispensable custodiar el destino de Occidente. Dime ¿acaso no has pensado que Occidente podría estar en la dirección opuesta?

El Sol va adquiriendo una presencia mayor día a día. Las calles recobran su lugar urbano y vuelven a capturar el paso de los cuerpos. Se dice que el frío de la última estación acabó con muchos desamparados, aunque es una noticia vaga, murmurada con una gran dosis de cautela. Pero se repite en cada una de las salidas que hago para buscar alimentos. Los desamparados, al decir de los habitantes de las orillas, sucumbieron ante la falta de abrigo y muy cerca del fin, se dirigieron hasta las casas para solicitar ayuda. Las noticias dicen que los vecinos mantuvieron sus puertas cerradas a pesar de las súplicas y que algunos de los desamparados murieron congelados apoyados contra los portones. Este sol será pues una especie de milagro para los sobrevivientes.

He pensado que quizás mi casa fue escogida por ellos como un lugar de asilo. Algunas noches en las que la temperatura se volvió crítica, creí escuchar algunos tenues golpes en el frontis. Nunca me alerté ante esos sonidos porque los atribuí al mal estado que presentaba el tiempo. Nadie ha muerto en el pórtico de mi casa y es posible que esas noticias no tengan el menor fundamento. En la ciudad, cada ciertos tiempo, se reproducen noticias alarmantes que enardecen las conversaciones que mantienen los vecinos. El rumor es parte de los ruidos de la calle. No me acostumbro aún ni a los rumores ni a los ruidos. Hacerme urbana ha constituido en mí un aprendizaje doloroso.

Es verdad que los albergues públicos fueron clausurados hace ya mucho tiempo, es verídico también que hoy he visto menos desamparados en la calle. Pero no podría ser posible un hecho semejante. Ni siquiera un solo desamparado podría morir abandonado en las aceras. Te suplico que no vuelvas a mencionar a mis padres, ni menos que tu hijo y yo les hagamos compañía. Mis padres desaparecieron para mí hace ya muchos años y tu demanda se vuelve totalmente imposible.

Por el contenido de tu carta, sé que ahora me temes y piensas que yo soy tu antagonista. Tú y tu madre me temen pues adivinan el estado de mis sentimientos. El estado de mis sentimientos transcurre en una extrema soledad y la soledad de mis sentimientos es un beneficio. Pero tu intención ha sido despojarme de todo aquello que es mío dejando depositadas tus órdenes en mi ciego cerebro. Lo que tú pretendes conseguir es que ni siquiera reconozca la vigencia de mi propia historia. Te diré que para mí tú te asemejas a un avaro al que le han hurtado toda su riqueza y sale trastornado en pos del botín con el que justificaba su existencia.

Está bien. Definamos en una fecha próxima el origen de la palidez que, según tú, asola a tu hijo. Acepto que tu hijo sea auscultado por el médico que indicas. Ya le he advertido que yo en nada he tenido que ver con esa decisión. Será como tú dices, como dictas. Si has de evitarme a ese precio el que comparezcamos ante las cortes, pues será de esa manera. Ya entendí cómo consigues el equilibrio que tanto has anhelado. La paz que te rodea pasa por conseguir que vivamos en medio de un constante sobresalto.

Estoy tan conmovida. Un brote de noticias desgraciadas se esparcen en forma soterrada por todos los rincones apartados de la ciudad. Dicen que un número indeterminado de desamparados encontraron el fin durante las últimas heladas. Se murmura que familias completas murieron con sus cuerpos acurrucados unos sobre otros. Me han dicho que los niños tenían los ojos abiertos como si antes de morir hubieran vislumbrado la omnipotencia de Dios. Según el decir de los habitantes de las orillas, las mujeres murieron, en cambio, con los ojos cerrados, sumergidas en una anticipada y solitaria oscuridad.

Cuentan que las familias agonizaron reclinadas contra los pórticos de los edificios públicos a la espera de que las puertas se abrieran para poder salvar, al menos, a los niños. Dicen que, en esas noches, los funcionarios pusieron doble llave a los candados y aseguraron con celo las ventanas. Los rumores aseguran que los cuerpos de las víctimas fueron retirados en medio de un sigilo que no se puede adjudicar a la forma del duelo sino más bien a una inquietante impunidad. Las únicas noticias oficiales que hemos recibido insisten en que no se reabrirán los albergues públicos porque el advenimiento del sol lo hace innecesario.

El sol ha hecho aparecer a la poca naturaleza que se advierte en las calles, pero, aunque bello, el tono de las flores me parece menos nítido. El color rojo no alcanza a conformarse y el amarillo se confunde con el ocre. También las hojas de los árboles han disminuido de manera evidente y los troncos presentan considerables grietas. Parece que en todas las estaciones se profundizara un extremo peligro pues ahora transita otro espantoso rumor a lo largo de las calles: el agua. Dicen que las aguas podrían estar contaminadas. Pero esta noticia con seguridad es falsa, sólo un motivo de alarma y de perversa entretención de los vecinos.

Si las aguas estuvieran infectadas sería como afirmar que la vida misma está expuesta a un inminente final. Las aguas son el único alivio para el intenso calor que ya se advierte. ¿Cómo podrían pues infectarse las aguas? Es el calor lo que provoca el delirio en la gente, la sequedad enloquece a los vecinos que se complacen en contagiar un pánico que altera más aún a los cuerpos sedientos.

No quiero que vuelvas a afirmar que tu hijo destruye todo lo que encuentra a su paso, esa destrucción que has señalado es sólo parte de sus juegos. Te he dicho antes que juega con los objetos como si fueran obstáculos que él debiera franquear. Nada que tenga un gramo de valor se ha destrozado. Y el que los vecinos se quejen ante tu madre por los ruidos de las carcajadas de tu hijo me parece vil, pues yo jamás he protestado por situaciones terribles y ominosas que he recibido de ellos. He intentado todo para detener las carcajadas, y me ha sido imposible. Ya verás cómo su crecimiento terminará con esa molesta costumbre.

Como pides, es posible que en los próximos meses tu hijo vuelva a la escuela. Pero no quiero que nos anticipemos. Ya lo decidiremos cuando sea el momento oportuno. Creo que no debes exponer a tu madre a este pesado calor que se avecina, no es necesario que nos visite ya con tanta frecuencia. Mira, se advierte la presencia de un tiempo apacible. ¿Por qué en este verano no abrimos una especie de tregua?

ESTE VERANO me confunde. Sé que en la naturaleza se ha producido una turbación. Es un acto extremadamente leve que no puedo aprisionar y que presenta su evidencia en los colores, en las texturas, en la oblicua brisa que refresca el atardecer. Unas señas tan sutiles que cuando siento que he encontrado una prueba para mis presunciones, el color se acerca a su realidad, la textura a su origen, la brisa a la marea que la emite. Pero, sin embargo, la perturbación existe, sólo que se sostiene en la mutación, en una acción de camuflaje que habla de una trampa o del desquicio.

Esta estación vuelve mi vida aún más agobiante. Camino por las calles en busca de alimentos, sintiendo como si el sol en cualquier instante fuera susceptible de transformarse en un puñal que buscara hundirse en la base posterior de mi cuello. Con ese miedo atravieso la ciudad con mi mano derecha protegiendo mi cuello y entonces el sol implacable cambia y se deja caer sobre mi frente, únicamente sobre mi frente, ocasionándome un intolerable calor.

Este verano me ofusca gravemente. Tú sabes que es en mí una sensación inédita pues siempre me había exaltado en los veranos. Recibía con vasta felicidad el agua con la que refrescaba mi cuerpo, veía el estallido de los colores como una parte de mi propia mente y el calor como un paliativo contra la ingratitud. Ahora, en cambio, me he enemistado con este tiempo, nada hay en él que me recompense y sólo me provoca un sostenido desconcierto. Comprendo que las estaciones han cambiado sutilmente sus medidas creando nuevas leyes que mi organismo rechaza. Vivo pues unos días que van pasando en vano.

Esta noche no presenta ninguna diferencia. Si tú pudieras presenciarla advertirías una inquietante postración, es como si el cielo mismo se hubiera retirado dejando una copia paralizada por reemplazo. Ah, qué inútil me parece compartir contigo las alternativas de este tiempo. Sólo pareces abocado a los compendios que tu madre te hace y desatiendes aquello que hace menguar mi ánimo. Dices que tu madre insiste en que tu hijo y yo comemos a horas inconvenientes, que nuestros alimentos son ocasionales y carecen de la debida consistencia. Dices también que, según tu madre, hemos olvidado los modales de Occidente que se suelen atender durante las comidas.

No sé qué responder frente a esas acusaciones. Experimentamos la comida como un desafío y quizás molestara a tu madre el que divaguemos por las habitaciones de acuerdo a la calidad de los alimentos. Pero es sólo un juego que me pide tu hijo. A él le gusta adiestrar su olfato y me solicita que lo ponga a prueba. No se trata de una pérdida de todos los principios, como afirmas, el que adivine por el olor lo que nos alimenta. Es verdad que él come, algunas veces, con los ojos cerrados para predecir la materia que consume, pero, de esa manera, ha conseguido extraordinarios aciertos, distinguiendo el vegetal de las especias, o las formas en que se elabora el trigo. Ah, me siento orgullosa de tu hijo por su maravillosa habilidad.

No es posible que su aprendizaje lo dañe, no es justo que impugnes el crecimiento de su sabiduría. Recuerda cómo desconfiabas tú mismo de los alimentos, sabes cuántas veces has sentido el temor de ser envenenado. ¿Pretendes acaso que tu mal se reproduzca en tu hijo? Para prevenirle el traspaso de tus miedos, busqué una forma para aminorarlos. No me digas que quieres imponernos una regulación que abarca la comida. Sé que no lo harías y más bien entiendo que en tu carta expusiste una inquietud que no es la tuya sino que pertenece a tu madre. Tu hijo tampoco gusta de este sol. Permanece encerrado en las habitaciones como si quisiera eludir ser el testigo de una creciente anarquía. El también ha advertido que la naturaleza está oscilante y parece ser contrario a entrar en un tiempo cuyas reglas desconoce.

En tu carta me preguntas por la frecuencia de mis sueños. Ah, mis sueños. Más adelante deberé hablarte extensamente de mis sueños.

ASEGURAS que mi comportamiento genital origina los más vergonzosos comentarios que traerán graves consecuencias para el futuro de tu hijo. Dices también que me atrevo a hacer de mi casa un espacio abierto a la lujuria que atemoriza y empalidece aún más a tu hijo. Afirmas que los vecinos están estupefactos por lo que consideran como mis desmanes. Ya no tengo en mi mente qué otras referencias estaban contenidas en la carta que hoy mismo hiciste llegar hasta mis manos. Pero, por esta vez, no me has herido y no me molestaré en iniciar ninguna forma de defensa.

Los atardeceres me acongojan pues siento cómo la caída de la luz me empequeñece. Es verdad que el atardecer es el momento más difícil del día pues en esas horas se anuda la existencia de una infinita repetición. Tú también repites y oscureces y empequeñeces los actos de mi vida. En tu carta te dedicaste a cursar el atardecer de tu propia palabra. Tuve que descifrar entre la oscuridad de cada una de tus frases, la voluntad de causarme un deliberado dolor. Afirmar que me dedico al desperdicio de mi cuerpo y que por mi casa transita un hombre que entra de modo sigiloso y que sale cuando se aproxima el siguiente amanecer, es acusarme de tener un amante que yo no reconozco.

Tus palabras se extravían cuando vas suponiendo encuentros, torsiones corporales, gemidos, que sólo están en tu particular delirio. El amante que inventas resulta pues que es un fiel imaginado doble de ti mismo. Los vecinos se acusan los unos a los otros de todo lo que es susceptible de transformarse en una acusación. Viven para vigilar y vigilarse, manteniendo una incesante mirada que semeja al fuego cruzado que caracteriza a algunas cruentas batallas. Los padres acechan a sus hijos, los hijos a sus madres, el extraño a la extraña, la conocida a una desconocida. Tú pareces ser el vecino que me hubiera sido asignado en esta febril repartición. Lo que tus ojos no espían, lo entregas a la vigilancia de tu imaginativa mente que se atreve a testificar, a la distancia, una escena secreta que ocurriría en una de las habitaciones de mi casa.

¿Cómo podrías saber qué es lo que mi cuerpo necesita frente a un cuerpo que jamás has conocido? ¿Qué te lleva a pensar que mi lenguaje podría descontrolarse al punto que aseguras? ¿Por qué habría de entregarme a acciones tan sórdidas como las que describes? Los vecinos tragan los rumores con más voracidad que los mismos alimentos, pero te confieso que hasta ahora no había recibido una información tan prolijamente abyecta. Tú eres pues la voz que me faltaba para entender de que manera lo ruin puede convertirse en mayor diversión. No des a los vecinos el crédito que sólo a ti te corresponde y revela que has iniciado una nueva confabulación en la que, con seguridad, te secundará tu madre. Navegas por aguas pantanosas y el lodo terminará por cubrirte la boca conduciendo la asfixia hasta tu cerebro. Te pareces a esas alimañas que crecen entre las aguas estancadas de los pantanos y que no sabrían cómo sobrevivir más allá de la ciénaga.

Pues bien, si así lo estimas, tu hijo será interrogado en torno a los hombres que entran a nuestra casa. Uno de estos días las carcajadas terminarán por derrumbarlo. Tu madre lucirá su más bello luto y tú, ¿qué harás entonces? Sólo dime cuándo se llevará a cabo el interrogatorio a tu hijo y a qué hora exactamente comparecerá tu madre.

Me fue negado el derecho a administrar mi propia casa. Está bien, te haré un exacto relato de los hechos. Los "hombres" a los que tendenciosamente tu madre y los vecinos se han referido, fueron algunos desamparados que recibí durante aquellas noches en las que el frío llegó a niveles imposibles. Me pregunto, ¿por qué habría debido de consultarte acerca de mis decisiones? La muerte estaba tan cerca de esos cuerpos que mi acción fue desesperada. Ya habían perdido la mayoría de los movimientos, habían perdido incluso la facultad de la palabra. Dar por algunas horas un pedazo de techo no puede ser el delito que motive el inicio del juicio con el que una y otra vez me conminas. Si cometí una falta tan imperdonable, pues descuida que jamás volverás a escuchar una noticia similar. Le explicaré detalladamente a tu madre cada una de las razones que me impulsaron a tomar esa decisión y sé que ella las entenderá y así se calmará su ánimo.

No quise ofender a los vecinos al romper el acuerdo de cerrar las puertas a los desamparados. Quizás sí fuera peligroso, pero esos seres ya estaban tan incapacitados que ninguna de sus actitudes habría pasado por la violencia. Los posibles contagios, la inconveniencia de sus figuras, los desastres, como ves no se manifestaron. Tu hijo y yo no tenemos ninguna secuela. Fue quizás precipitado de mi parte, pero ya he dicho que no volverá a ser de esa manera y si lo crees necesario recorreré las casas cercanas para dar las aclaraciones a mi acto. Supongo que las seguridades que te ofrezco, me excusarán ante tus ojos y te tranquilizaré lo suficiente como para abandonar la idea de un juicio.

Tu hijo ha descubierto una nueva diversión, ahora sólo le interesan las vasijas. Las ordena en su cuarto de un modo curioso y después se desliza entre ellas con una maravillosa sincronía. Cuando las contempla, se ríe y yo siento como si quisiera romperlas con sus carcajadas. Parece enfrascado en un desafío único que nadie hubiera imaginado. Los juegos que realiza tu hijo me resultan cada vez más impenetrables y no comprendo ya qué lugar ocupan los objetos y qué relación guardan con su cuerpo. Las vasijas están rigurosamente dispuestas en el centro de su cuarto formando una figura de la cual no entiendo su principio ni menos su final.

He intentado explicarle a tu hijo que las vasijas no son adecuadas para sus juegos, pero me mira como si no entendiera mis palabras. No sé ya cómo detenerlo y supongo que quizás se trate de un capricho transitorio frente al cual debo probar la magnitud de mi paciencia. Algunas veces he pensado que en las vasijas tu hijo ve formas humanas ante las cuales manifiesta su desprecio; otras veces, supongo que tu hijo realiza una compleja abstracción que lo acerca a los dominios de la magia o de la ciencia. Pero con seguridad se trata de un juego en el cual sólo prima la acumulación.

Me parece que hoy se marcará el fin de las hostilidades, los rumores se acallan, se ha confirmado que la calidad del agua está en las mejores condiciones, tu hijo pierde la palidez que tanto alteraba a tu madre. La escuela abrirá sus puertas a tu hijo en el siguiente período. Será sensato pues que evitemos el contacto, ya no existe un motivo para continuar con esta estrecha y perturbadora correspondencia entre nosotros.

Nos ESTAMOS consumiendo por tu causa. Ya no sé si es que vivo o solamente sobrevivo como un solitario ejercicio. Pero aún así me has denunciado, entregando mi nombre a los vecinos. Afirmaste que tengo algo de desamparada y presagiaste que terminaré vagando por las calles interminablemente. ¿Cómo pudiste denunciarme? ¿No entiendes acaso que ahora le has dado un gran poder a los vecinos? Ha venido un séquito de orgullosos ciudadanos a exigirme toda clase de definiciones. Cada uno de ellos se precipitaba por decir sus frases repugnantes, expresar una ira repugnante, exhibir ante mí sus juicios repugnantes. "Tengo la fama que merezco y llevo la vida que llevo", les contesté y se produjo un silencio tan enfermizo que entendí que había obtenido una cierta ventaja. Les dije esa terrible mentira porque necesitaba detener el flujo venenoso de sus palabras que me tenían al borde del desquicio.

Los vecinos están a la caza de desamparados y han establecido un miserable acuerdo con ciertos individuos que les servirán para sus fines. Llegaron hasta mi casa dispuestos a convertirme en la primera víctima, a probar desde mi cuerpo la certidumbre de sus planes. Golpearon la aldaba de la puerta con extrema arrogancia, como si portaran entre sus manos un edicto real y luego se permitieron nombrarme como la cabecilla de una incierta irregularidad urbana. La malévola satisfacción de mis vecinos parecía consumirse en mi nombre, como si así le diesen un nombre a los numerosos desamparados que orillan la ciudad.

Has hecho de mis vecinos tus aliados para lograr lo que

tú mismo no puedes conseguir. Los vecinos se han transformado en cazadores de presa, aterrados frente a todo aquello que amenace sus espacios. Ellos piensan que sus espacios están amenazados por el hambre que circunda las calles y no estoy segura de si es un rumor que cada uno ha puesto en movimiento para combatir su propio tedio. La vigilancia es el ejercicio que los mantiene alertas. El rumor, la prueba de todas sus certezas. Han venido hasta mi casa y me han tratado como si yo misma fuera una desamparada. Su investigación, como la llamaron, estaba avalada por los temores que le trasmitiste a tu madre, la que actuaba en tu representación. Temían que yo tuviera una alianza con los desamparados, decían que un complot contra la armonía de Occidente se extendía por la ciudad y que todas sus casas estaban en la mira de una insurrección que aún no tenía una forma nítida.

Reconozco que los miré estupefacta hasta que vi en ellos la voluntad hacia la destrucción. Entendí de qué modo se configuraba el odio cuando buscaban en mi casa las pruebas, las señales que avalaran sus miedos. Te has convertido en el cómplice de una atroz empresa que se llevará a efecto de un instante a otro. Lo sé porque ellos preparan todo tipo de armas para el próximo invierno. Los vecinos harán del siguiente invierno una estación sangrienta.

Me has denunciado finalmente y con tu denuncia me has causado una seria afrenta que me veré obligada a saldar de una manera justa y definitiva. Te has ensañado contra mí, que lo único que he hecho es buscar dentro de la vida una existencia posible. Me has denunciado y presumo que estás acrecentando la lista que necesitan mis vecinos para vencer el letargo en el que se ven envueltos. Es verdad que la condición de mi vida es en extremo difícil, cada vez más difícil, pero eso no me hace igual a una desamparada. Puede ser que durante algunas horas haya paseado por la ciudad para pasar el tiempo, pero bien sabes que sí tengo una casa y que eres tú el que ha hecho de lo imposible una acusación probable.

Los que me acusan insistieron en que ordenaron la inconveniencia de salir a las calles a determinadas horas y que yo estuve quebrando el costoso acuerdo al que llegaron. Me dijeron que debía reparar mi falta. Conseguiste que ahora caiga sobre mis espaldas el agobio de una nueva vigilancia. Los vecinos intentaron transmitir sus ordenanzas a tu hijo, pero él se escabulló en una de las habitaciones y después cayó en un juego que me hizo pensar en una acción de canibalismo. Tu hijo, al parecer, ahora quedó atrapado en ese juego pues las vasijas lo rodean con una peligrosa exactitud. Yace en el medio de sus objetos igual que el capturado de la plaza que se aprestara a subir hacia la horca o a la hoguera, con un leve temblor, como si advirtiera que se extiende un clima funerario por las calles. Pero has de saber que él sólo se dedica a actuar lo que tú nos has donado; porque tú nos has dado la escena del delirio, el sendero del crimen. Supongo que ahora entiendes que al denunciarme nos adentramos en una etapa crítica.

Los días le hacen terriblemente mal a mi organismo. Las noches dañan mi cerebro con los sueños que me arrastran hacia el otro mundo en que no habito. Dices que he sido vista en la ciudad realizando actos que te degradan. Dices que los vecinos dicen y que es tu madre la que te transmite el avergonzado decir de los vecinos. Quieres pues que te detalle cómo son mis caminatas por las calles y eres tú mismo el que me dices que si no lo hago, multiplicarás tus acusaciones y me haré célebre en el caso que ha de segar mi vida. Contigo entiendo la cercanía materializada de la muerte y la manera incesante en que buscas que se abrevie mi vida.

No existe ningún secreto en mi paso por la ciudad. Voy y vengo de acuerdo a las necesidades materiales que me plantea el cuidado de tu hijo. El conocimiento que despliego en las calles no representa, en absoluto, la lujuria. Mi conocimiento es sosegado y quizás en extremo generoso. La lujuria que, dices, intentas erradicar de mí, te pertenece íntegramente y de eso nadie mejor que yo está calificada para dar testimonio. Tu lujuria se encuentra hábilmente disimulada entre la aparente rigidez de tus órdenes, pero yo la conozco y sufres cuando compruebas que jamás me podrás corromper.

Algunos días son las horas de mis prolongadas caminatas por las calles, pero las calles en ciertos tramos pierden su realidad y hacen que me sienta formando parte de un sueño. Un sueño en el que deambulo de manera apabullante perdiendo el equilibrio entre zonas que se tuercen y me distorsionan y amenazan con aplastarme. Pero en mis sueños el espacio se vuelve irracionalmente apasionado, espacios irracionales cuya oferta de felicidad se manifiesta tan absoluta que mis momentos placenteros me parecen de una insignificancia atroz. Camino entonces en estado de gran agitación, huyendo de mis sueños que aparecen aún en los espacios diurnos para asaltarme en la ciudad.

Algunas zonas me parecen realmente poco armoniosas. El deterioro que las circunda puede llegar a ser alarmante y soy la testigo de la desatención que experimentan. Se deterioran de diversas maneras; en cambio, el desajuste que a menudo sufre mi organismo es parejo y siniestro. Lo que le sucede a mi rodilla está conectado con la sincronía de mi hombro. Algunas veces siento como si todos los fragmentos de mi cuerpo complotaran para paralizarme y dejarme detenida de un instante a otro.

Quiero relatarte uno de mis sueños recientes, en el que me enfrenté a una de las más rotundas visiones corporales. Soñé que mi lengua condenada a la humedad se tocaba con otras (esto ocurría en la ciudad, en una de sus áreas más deshabitadas). Recibí entre mis labios una piel que generosamente me ofrecía su irregular superficie. En esa revelación callejera, mis ojos se cerraron contra una mejilla, mi mano palpó la poblada longitud de una ceja y mi hombro rozó la frontalidad compacta de un torso. Durante el sueño pude valorar la belleza del contacto al reconocer, por fin, mi cuerpo en un cuerpo diverso y comprendí entonces cuál es el sentido exacto de cada una de mis partes y cómo mis partes claman por un trato distinto.

Durante esa amorosa sensación, pudo separar la pupila de la concavidad de mi ojo, mi pierna de mi oído, mi cuello de mi frente. Ahora sé que mi cuello no es únicamente el material para la decapitación ni mi ojo el paso a la ceguera.

Entendí, desde la sabiduría que contenía mi sueño, que mi carne no es sólo el sendero para que tú efectúes la mejor caminata.

Ah, ¿cómo podría explicarte, entre las limitaciones que presentan las palabras, la experiencia de alcanzar la perfección? Viví una increíble escena callejera en el curso de mi sueño cuando apoyé mi cabeza contra un muro. Allí vi la terrible necesidad de mis labios y su epidermis tensada, mi espalda enajenada ante el furor de los nervios. Obtuve la certeza de que el temblor no está sólo condenado a un notorio movimiento sino que puede estar rezagado en una mínima extensión atolondrada.

Supe que entre mis dedos existen definitivas diferencias y que a eso se debe su diversa longitud y cómo cada uno de los dedos adquiere su propia autonomía cuando se deslizan buscando su particular forma de placer. Pero hay más. Supe también que los dedos pueden hacerse uno con el músculo más exigente de la pierna y en esa conjunción conseguir que en los labios se produzca una mueca que obligue a los dientes a establecer un castigo. Comprendo ahora bien que mis dientes tienen el poder absoluto de atraer sobre mí la carga de la bestia que, en vez de defenderse, hace del enemigo su carne más cercana.

¿Cómo podrían tu madre y los vecinos hacerse jueces hasta de mis sueños? No hay paso mío, como vez, que te lesione ni menos que pueda ofender a tu hijo. En esta carta me permito otorgarme una gran licencia hacia el horizonte del sueño para no ver la angustiosa tragedia que vas determinando. Porque tú, dime, ¿qué es lo que sueñas? Ah, pero lo sé. Pienso que entre tus sueños y la realidad no media ninguna diferencia. Te aseguro que en las imágenes que se urden en tus noches, tu hijo y yo sólo representamos la escena incandescente y repetida de una inmolación.

¿POR QUÉ vuelves otra vez a los desamparados? ¿Qué cuenta quieres que te haga? No puedo recordar a cuántos desamparados recibí, no quiero recapitular la historia de esos días. Me acusas de estar escamoteando una información comprometedora. Es más, me culpas de mentir deliberadamente. Insistes en que he cometido una falta frente a la cual no encuentras cómo expresar tu repudio por la dimensión del riesgo al que fuera expuesto tu hijo. Determinas que ya no te es posible confiar en mi capacidad para mantener la integridad de la casa pues el que yo haya acogido a los desamparados, te previene de otras posibles amenazadoras acciones. En suma, lo que señala el tono de tu carta es que me has retirado tu confianza y que para ti es urgente el que tu hijo habite en un lugar que le ofrezca condiciones seguras.

Entiendo cuando dices que los desamparados pretenden aniquilar el orden que con dificultad la gente respetable ha ido construyendo y que yo no hago sino hacerme cómplice de ese desorden. Puede ser, como afirmas, que los desamparados se aboquen crecientemente hacia el afuera para esquivar así el ejercicio de sus responsabilidades, que son rebeldes en extremo peligrosos y junto con la insurrección que portan sus presencias, están entrelazadas en sus cuerpos las peores infecciones. Hablas de los delitos, de las faltas, de los trastornos éticos que están apareciendo a lo largo de las calles, agresiones masivas que, según tu decir, son adjudicables a los desamparados. Piensas que la única defensa que nos resta es hacer de nuestras casas una fortaleza pues la ciudad ya se ha transformado en un espacio intransitable.

No pensé, reconozco, en lo que tú tan bien pareces comprender, no tuve en mente nada más que el terror de enfrentarme a seres que estaban destinados a una muerte segura. Si yo no los acogía, el fin para ellos era cuestión de horas. No vi en sus cuerpos esa deliberada insurrección a la que te refieres, sólo reparé en el frío, en la terrible consecuencia del frío sobre unos organismos totalmente desprovistos. El que se hayan vuelto hacia las calles, ¿no habla a su vez de que perdieron sus casas? Explícame, ¿por qué hubieron de perder sus casas? Deben ser las mías preguntas inútiles, y más que inútiles, inoficiosas. Lo que vi en ellos fue a figuras victimizadas, los inciertos sobrevivientes de no sé cuál misteriosa guerra. Como ves, abrí pues las puertas a quienes portaban el estigma de los moribundos.

Pero si todo esto ya es memoria del pasado, si cuentas con la promesa de que jamás volverá a repetirse, si te he ofrecido todas las seguridades como garantía, ¿no es lícito pensar acaso que estás extralimitando un hecho para conseguir un objetivo que antecede a la culpa que me imputas? Mi única culpa, y de esa manera yo lo advierto, fue no informarte desde el primer momento lo que estaba ocurriendo en el interior de mi casa. Temí hacerlo y ahora comprendo que fue insensato de mi parte referirme a lo que estaba pasando con los desamparados sin decirte en cuánto me comprometía.

Pero no puedes condenarme a perder a tu hijo por un error inspirado en el miedo que me provocó la presencia de la muerte. No sé ya cómo probarte la buena fe de mis deseos, desde ahora haré de los desamparados la imagen que corresponde al enemigo, me uniré a los vecinos en todas sus decisiones, efectuaré los mismos rodeos que tu madre conoce para evitar la visión de algún desamparado.

Ya ves que la ropa de tu hijo que molestaba a tu madre fue quemada en su presencia. Ahora ella y yo terminamos de acordar los alimentos que debe o no consumir tu hijo. Tu madre, y yo así lo he aceptado, ha duplicado la frecuencia de sus visitas. Cuentas pues en mi casa con una figura que ni siquiera tu personal cuidado lograría. Ten benevolencia con mi único desacierto. Tu hijo puede sólo habitar conmigo, ahora mismo lo observo y noto que está implicándose en un nuevo juego. Lo sé porque su cara está completamente absorta dando vueltas y vueltas con un misterioso deleite como si buscara una nueva ordenación para sus vasijas. Dime pues que no harás efectiva tu amenaza, si lo afirmas, haré de mí la figura occidental que siempre has deseado. Seré otra, otra, otra. Seré otra.

Me Dices que me puse fuera de la ley y lo que no me dices, es que me pusiste al alcance de tu ley. Dices, también, que luego de los inadmisibles sucesos en los cuales me he comprometido, tu hijo y yo, ya hablamos el lenguaje sucio de las calles y que los vecinos han dictaminado que pasamos el día y la noche en vano.

Recuerdas que me advertiste, en reiteradas ocasiones, la manera de prevenir el desorden hacia el que me inclinaba y que hiciste lo imposible para que yo entendiera qué conocimientos se debían acumular en tu hijo, cuáles rechazar. Es verídico; insististe mucho, muchas veces, en cuáles conocimientos se debían rechazar, especialmente en cuáles rechazar. Tu intención se centró en enseñarnos a mirar, a que jamás deseáramos lo que no vemos. Quisiste mantenernos todo el tiempo con la vista baja, inclinados. Llegaste a afirmar que es verdaderamente intolerable comprobar cómo la mirada puede contener la intensidad de un sentimiento.

Ah, no me explico aún cómo consiguió triunfar, al fin, tu vigilancia. Tu madre, que entre sus incontables fobias, le teme a la mirada y que es la brutal guardiana de los gestos, se atrevió un día a decirme que sabía con qué fallas llegué a habitar sobre la tierra. Afirmó que el desorden se había incorporado en mí desde mi nacimiento y, en esa oportunidad, antes de abandonar la casa pregonó de manera concluyente: "Por nacer en malas condiciones".

La pareja que forman tú y tu madre, se unieron como uno para vigilar el crecimiento de tu hijo, pero, en realidad, yo digo que se hicieron uno para detener el crecimiento de tu hijo. No me engañas ni por un momento. Si tu mano fuera disecada para ser exhibida en el centro de una feria, sería como la garra de un ave de presa, estrujando y estrujando a su objetivo, concentrando sus membranas en lo prensil. Tu garra y la garra de tu madre ya forman parte de mis pesadillas, veo su forma curva destrozando nuestros cuerpos, haciéndolos desaparecer entre los deseos de una pureza enferma, buscando en nuestros restos obtener una gloria legendaria.

Pero tu hijo habita un mundo en donde se suspenden tus presagios. Juega impasible entre sus vasijas con una serenidad que me llena de calma. Juega un juego ejemplar que consta de una numeración armónica que se multiplica ascendentemente. Su inteligencia brilla, emerge y también se multiplica mientras agrupa las vasijas y compone una bellísima figura visual. Veo en la figura, algo así como un rostro que, sin embargo, no es exactamente un rostro. Más bien se parece a un paisaje inmaculado. Ah, tu hijo juega inmaculado agrupando sus vasijas ajeno a tus peligrosas intenciones. Una mezcla sólida y líquida lo acompaña, como si las vasijas deshicieran el estado mismo de la greda. Ah, tu hijo juega de una manera intangible que no logro descifrar enteramente. Yo juego a desentrañar el juego de tu hijo, desatenta a los rumores que se esparcen por las calles y que ponen, a los que ocupan las orillas, en el lugar de la catástrofe.

Tu hijo se inclina ahora sobre las vasijas, cansado después de su difícil especulación. Y empieza el tiempo de su risa y con su risa, mi propio cansancio. Cansada como estoy, no puedo dar respuesta a la única pregunta que te parece crucial para terminar con nuestras divergencias. Ah, no puedo responder. Oh, Dios, si tuviera una respuesta me dices que accederías al perdón. Pero, no sé qué podría decirte: La verdad es que he perdido la certeza de saber ya qué se nombra, cuando se nombra el Occidente.

PIENSO, no hago sino pensar en cuántos desamparados estuvieron en mi casa. Qué hicieron, qué dijeron. Pero no alcanzo a configurar en mi memoria los sucesos, pues en esos días el tiempo había perdido su constancia y ya todo se remitía a los dictámenes del frío. El frío se dejaba caer en unos ciclos que me parecían cada vez más paradójicos y que me hicieron dudar sobre el sentido y el orden del tiempo. Llegaron, supongo, cinco o diez desamparados. Ah, pero no lo sé. Lo que te digo, sigue siendo un número que para mí es indeterminado.

Si fueron cinco o diez es evidente que ocuparon todas las habitaciones de la casa. No, no pudo ser así, se agruparon en una sola pieza y la única conversación que mantuve con ellos giró en torno al frío y a la resistencia para soportarlo. Tu hijo en ningún momento fue importunado por ellos y continuó en su habitación concentrado en el rito de sus juegos. Durante ese tiempo dividía su interés entre las vasijas y las ropas. Lo recuerdo así, pues constantemente estaba tomando mis vestidos para trasladarlos hasta su habitación y me costaba un gran esfuerzo retirar de allí alguna de mis prendas. Esa costumbre me fastidió al extremo que llegué a ocultar mis vestimentas predilectas, porque temí que fueran dañadas por sus manos. Pero tu hijo, de inmediato, descubría mis escondites y pronto comprendí que la ropa era para él algo surgido de una parte de su imaginación que necesitaba ser aminorada.

Tu hijo se asía a la ropa como si las prendas fueran susceptibles de seducirlo o de sobornarlo o de hacerlo partícipe del entendimiento de la condición humana. En su mirada estaba almacenado el punto más abstracto de su inteligencia. Una inteligencia que comprendía que en las ropas se concentraba lo medular de la comedia del cuerpo. Yo observaba su extraño estremecimiento cuando recorría las telas, dando vueltas y vueltas, con una risa espontánea que ni siquiera a él le pertenecía. Era un juego simétrico que me condujo al borde de la angustia y que un día huyó de él como si jamás hubiese existido.

Pero tú me pides que te rinda cuenta sobre la estadía de los desamparados, me lo solicitas justo hoy cuando tengo que reconstruir los hechos desde un tiempo diverso. Ahora que el calor muestra su febril evidencia, tú me retornas hacia el frío, a la memoria de un frío cuya ausencia me provoca el olvido. Sé que cuando la helada cedió, los desamparados abandonaron la casa. Es verdad que salieron a una hora que garantizaba que no serían vistos, lo decidí de esa manera para evitar los rumores en las casas vecinas. Cuando se fueron, el episodio quedó para mí completamente olvidado.

Intento recordar de qué hablamos más allá de lo inclemente de la temperatura y no tengo memoria de otras conversaciones. Me preguntas si les proporcioné comida y te contesto que sí, que les di algún tipo de alimentos. Pero fue una comida magra que no es necesario describir, y que en nada comprometía ni mi alimentación ni la de tu hijo. Sí, es verdad que algunos de los desamparados eran jóvenes, pero, ¿qué pretendes decir cuando me interrogas sobre edades en personas que estaban a un paso de la muerte? No tiene autenticidad lo que aseguras, no me parece admisible que los vecinos estén preparando una acusación basada en lo que no constituye delito. Si así fuera, creo que ellos mismos estarían poniéndose más allá de la potestad que les confiere la ley, obedeciendo a un mandato que tú mismo has propiciado.

Por qué no me das un tiempo razonable y te haré una descripción exacta de todos los movimientos de los desamparados en mi casa. Permite que mi memoria esté en mejores condiciones, piensa que me es difícil conciliar el sueño desde que has multiplicado tus requerimientos. Dame un pequeño lapso de descanso y tendrás el informe, ese informe que con seguridad harás llegar a cada uno de mis acuciosos vecinos.

Me Resulta impresionante el modo cómo vas estableciendo tus erradas conclusiones. En tu carta me dices que el médico diagnosticó que tu hijo es víctima de una insuficiencia generalizada. Yo no escuché de sus labios ninguna frase que apuntara a esa calificación. Es más, lo observé recorrer tranquilamente con sus manos el cuerpo de tu hijo como quien cumple con una monótona rutina. Tu madre parecía a la espera de una verdadera catástrofe orgánica y noté una ligera decepción en su mirada cuando el examen terminó sin ninguna prescripción. Entonces, ¿qué significa hablar de insuficiencia generalizada? Tu hijo, para mi felicidad, posee una salud que lo mantiene en las mejores condiciones. Y es tan cierto lo que digo, que sus juegos son la mejor prueba a la que se puede acudir para avalar su resistencia. Te he dicho que las vasijas le consumen todo su tiempo y parecen obedecer a una mente que está en el apogeo de sus mejores impulsos.

Las vasijas se agrupan en su pieza y ensaya con ellas las más inflexibles de las ordenaciones. Tu hijo y yo nos hemos trenzado en un complejo desafío. Me propone acertijos que yo debo resolver. Sé que hay una clave, una leyenda, un rito, una puesta en escena, una provocación en cada una de las ordenaciones. Algunas veces la disposición de las vasijas me resultan asombrosamente análogas al trazado que tiene la ciudad. Veo en ellas la solemnidad de algunos de los edificios públicos, la procacidad de los sitios eriazos, ciertas casas apartadas, intuyo trampas especialmente construidas para el vagabundaje urbano. Es como si la ciudad completa fuera eliminada y repuesta en otra dimensión, una ciudad transformada sólo en un volumen estilizado y que, sin embargo, retuviera la mayor exactitud.

Pero, cuando le digo: "Es la ciudad", tu hijo se ríe y comprendo que me he equivocado. Pienso entonces en que las vasijas son, por el contrario, ciertos aspectos de tu propio hijo que están encubiertos bajo una sólida capa de simulación. Percibo la fuerza de algunos de sus sentimientos. Sus sentimientos aparecen tan intensificados que he permanecido conmovida observando cómo puede representarse la pasión. De qué manera la pasión de tu hijo retumba entre sus propios límites, se golpea contra sus fronteras ciegamente causando un estallido. No había visto en forma tan nítida la terrible audacia de ese sentimiento ni jamás escenificado su asombroso vigor.

"Es tu pasión", le digo. Y tu hijo se ríe y se ríe y yo me hundo intentando evadir esa risa que marca mi fracaso y el placer de su éxito. Pero se ríe y entonces temo que se haya abierto un caudal de sonidos que también careciera de fronteras. Después de saciarse con su propia risa, se calma sólo para iniciar una nueva ordenación a sus vasijas y yo me retiro extenuada hacia mi habitación. Me retiro para prepararme a un nuevo desafío, a pensar qué clase de juego construirá la infranqueable mente de tu hijo.

La insuficiencia que según tu decir el médico ha dictaminado, es una invención más de las que con frecuencia me vas comunicando. Sé que es una mentira intencionada, un instrumento para desvalorizarme y así opacar el celo que observo hacia tu hijo. Ah, pero sabes que yo sé lo que tú intentas, que entiendo la clave de tus juegos con mayor precisión que las adivinanzas que me plantea tu hijo. Porque es evidente que tú dictas una ordenación en la que yo soy la única pieza y, a la vez, la contraparte de tu juego.

Juguemos pues: ¿Qué debo hacer con la insuficiencia de tu hijo?

Tu madre me ha dicho en tono perentorio que se aproxima el tiempo en que debo entregar el informe que comprometí contigo. Es verdad, el plazo se cumplirá inexorablemente. Pero hasta entonces debes atenerte a la fecha prevista y esperar la entrega del informe que me redimirá de comparecer ante las cortes. No sé si apreciarás lo que voy a aventurar, pero tuve una visión o una iluminación o una inspiración mientras caminaba por las calles en busca de alimentos. Fue un pensamiento sorpresivo que surgió desde fuera de mis sentimientos, una imagen involuntaria pero, no obstante, de una consistente sencillez. Comprendí en esa imagen que tu madre y tú, aunque inversos, representan las dos caras de una misma moneda.

Pues Bien, ya me he cansado. Olvidemos para siempre esta comedia. Sabes perfectamente lo que está ocurriendo en la ciudad y me parece inútil que nos escudemos tras una inocencia inexistente. Reconstruiré para ti a los desamparados que pernoctaron en mi casa. Mi informe está hecho con gran fidelidad y quizás termine por decepcionarte. Si logras sortear el cúmulo de tus prejuicios, verás que no vas a encontrar nada que me comprometa como no sea la entrega de algunas señas que quizás te resulten sorprendentes. Tal como me lo pediste soy en extremo rigurosa con el fin de terminar de una vez por todas con tus intimidaciones.

Has de saber que los desamparados formaron hace mucho su particular historia. Una historia salida de no sé cuál profundo descontento. Participé de sus relatos durante los días más fríos del invierno conviviendo con seres que estaban proscritos de las leyes del abrigo. Dirás, encontrando una razón para tu inquina, que yo me hice con ellos una desamparada y entonces te horrorizarás y me negarás y maldecirás la hora en que cruzamos nuestras vidas. Imagino a tu madre satisfecha por lo que llamará "mi confesión", veo que entregarás mi carta a los vecinos y veo también cómo ellos se apresurarán por llegar hasta las oficinas públicas para que se me abra un juicio. Ante los ojos de las autoridades no tendré la menor posibilidad de resultar exculpada. Pero tarde o temprano este momento habría llegado, tú también sabes perfectamente que mi destino es ahora irremisible y prefiero adelantarme para presentar yo misma mis descargos.

Lo que te diré será para mí la repetición de las visiones

más antiguas con las que me adormecía cuando niña. Prepara pues tus ojos y tu mente para una larga jornada. Pero espero que comprendas que la mía fue mayor, más intensa y más plena. Sabes que las calles siguen multiplicando las figuras del hambre. El que yo pague por ellas no hace pues ninguna diferencia.

Pero, ¿qué relato habré de hacer? ¿Cómo puedo conseguir que mis palabras sean concluyentes? Aquí te dejo los primeros esbozos de los acontecimientos y más adelante me referiré a aquello que ha desatado el pánico en los vecinos. ¿Tendrás la paciencia necesaria? Abrí mi casa a los desamparados en cuanto tocaron a mi puerta. Desobedecí, como ves, las órdenes sin el menor titubeo (después hube de repetir el gesto con mi corazón exaltado, sabiendo que tu mirada ausente ya me vigilaba). Ya había adivinado que llegarían cualquier noche ante mi vista y me mantuve cada una de esas noches esperando la llegada. No sé cuánto tiempo tardaron en venir a mí, no lo sé porque con su aparición anularon el tiempo de mi espera. Eran dos familias completas las que mostraron ante mis ojos la profunda miseria que transitaba por sus cuerpos. Hambrientos, definitivamente entumecidos, atravesaron el umbral. Les proporcioné todo lo que necesitan. Oh, Dios, se veían magníficas sus figuras contra el fuego. Fue una especie de resurrección la que ocurrió frente a las llamas. Los cuerpos recobraron su vigor, la armonía de las respiraciones, las articulaciones en toda su potencia, la humanidad atravesando el rostro de los niños (los niños ocupan un espacio único en mi memoria, llegué al convencimiento de que nunca había entendido lo que era el rostro de un niño; la incipiente vejez, la enfermedad, una malicia que hería, la geometría absorta de sus frentes).

Cuando les proporcioné calor me encontré de pronto

cara a cara con dos familias desconocidas. Ah, quedamos tan indefensos sin saber qué nos correspondía más allá del fuego. El hambre empezó a ocupar un lugar central en la habitación. El hambre estaba ahí (¿cómo hacerte comprender que vi la aureola que rodea el hambre?). Una masa, una turbulencia, un gemido, un deseo, una demanda aguda que me hizo tambalear. Ah, ahí estaba frente a mí la poderosa hambruna de esos cuerpos. Bajé los ojos mientras ellos comían. Tú sabes que mi espíritu es frágil, pero me hice más frágil en esos momentos. Me pareció presenciar la escena de un bosque carbonizado que volvía a emerger gracias al poderoso conjuro de una hechicera iracunda. Un bosque irritado por la memoria de su muerte reciente que había repuesto sus partes más dañinas y que iban a terminar por estrangularlo, asesinándolo por segunda vez.

Sé que te sentirás mancillado, que renegarás de mi nacimiento después de mis palabras, pero será sólo un odioso espejismo, apenas un prejuicio. Me vi en la necesidad de lavar sus cuerpos. Los desvestí uno por uno y, con el paño más fino de hilo que guardaba en el fondo del armario, quise encontrar la verdadera piel que envolvía la piel de la carencia. Fue una búsqueda, un conocimiento, un estremecimiento mutuo. Las mujeres se entregaron a mis manos como si fuera un amante, o una divinidad que las estaba aliviando. Los hombres como ante una sirvienta, los niños como si habitaran en un mundo nonato. El agua adquirió otro sentido cuando yo misma pasé el paño por mis brazos. Mis brazos se habían extenuado. La noche se volvió frontalmente generosa con nosotros. Sabrás que esa fue una noche proclive a la belleza.

Salieron al amanecer. Yo me quedé absorta en una especie de desvelo. Me dirigí hasta la habitación de tu hijo y pude hablarle por primera vez de la ingratitud y a la vez de la perfección que transportaba el universo. Entendió como un sabio mis palabras. Tu hijo empezó un juego que me recordó la alquimia. Supe que algún día él iba a conseguir resolver todos los dilemas. Dispones ahora de los primeros elementos para mi condena. Me he fatigado. Continuaré en la noche siguiente. Otra de mis vecinas se ha mostrado crecientemente altanera conmigo. ¿Será ella la que hará resonar la pesada aldaba de mi puerta?

Mi Ser se agita conmovido por la inquietante oscuridad que rodea a esta noche. Mi cuerpo entero late, adivinando la forma que tomará mi condena. Tu hijo, que se mueve al lado mío, sólo juega ahora por defensa, aterrado por el peligro que se cierne sobre nuestras cabezas. Cuando lo miro, me parece que él ha sido sobrepasado por la multitudinaria ordenación de sus propias vasijas. Tu hijo parece buscar una línea que demarque el horizonte y en su pupila se dibuja algo parecido a una cicatriz que, sin embargo, mantiene viva sus puntadas. Quiero que sepas que hace unas pocas horas, tu madre, con un malévolo brillo en sus ojos, me comunicó que las autoridades han llegado a un acuerdo y se aprestan a iniciar, en mi contra, uno de los juicios más extensos de la historia penal de la ciudad. Dijo, también, que la causa era sostenida por una asociación de poderosos vecinos. Lo que tu madre calló es que tú eres juez y parte del caso que se sellará a costa de mi vida.

Sé bien que las cartas que te escribo van formando parte de las pruebas y tengo noticias fieles que aseguran que algunos de los desamparados se movilizarán para acusarme ante las cortes. No pienses que estas noticias me derrumban pues ya hace mucho tiempo que traspasé el umbral de mi propia resistencia. Tu hijo no deja de reír mientras te escribo, como si supiera que estoy redactando mi sentencia.

Dime, ¿en qué mal momento decidiste que esto ocurriría?, ¿con qué promesas compraste a mis vecinos?, ¿qué harán tu madre y tú cuando yo desaparezca? Fuiste urdiendo una red que cualquier cazador envidiaría, una red de hilos tan finos que incluso a mí me maravilla. Caí presa de tu prolijo tejido pues no fui capaz de precaver en cuánto se había extendido tu rencor ¿Caminabas acaso pensando en el instante final de mi caída?, ¿te reías?, ¿disfrutabas adivinando el contorno de mis huesos? Este final que se avecina, ¿se cumple según la exactitud de tus deseos? Ah, sin embargo temo que no entiendas lo que está pasando, no te diré una palabra de las últimas informaciones que he recogido al atravesar las calles, aunque con ello ponga en riesgo mi propia pervivencia, porque después de todo el que yo siga en la vida no es ya el motivo que determina mis días.

Harás de mí la víctima perfecta pues el mío será un juicio fuera de la historia, cuya concurrencia va a marcar el arbitrario y maligno signo de los tiempos. Ah, pero yo puedo presentir cómo tú permanecerás todo ese tiempo resguardado tras una cobarde oscuridad moviendo los hilos del proceso. Tu hijo será internado en una de esas sórdidas instituciones que acogen a los niños mientras dure ese juicio. En mí, los poderosos escarmentarán a los ciudadanos periféricos que no se inclinan ciegamente ante sus pedidos y, de esa manera, tu hijo portará la leyenda de los huérfanos.

Me parece que una parte de la ciudad se deforma y se deforma como si hubiese sido dinamitada. ¿Seré yo acaso la que estoy perdiendo mi propia consistencia? Finalmente tu deformidad me ha lesionado y me queda poco por argumentar ante un caso viciado de antemano. Este verano se acaba sin mayores consecuencias, salvo algunas plagas que están afectando a los sectores aledaños. Nuevamente surge el rumor de que las aguas están transmitiendo innumerables infecciones, que la peste, dicen, que los malestares, que el hambre se acrecienta y se acrecienta, que la dudosa resistencia de los niños, que no se sabe ya cómo apartar a los enfermos de los sanos. El agua en las orillas se ha tornado perniciosa, ¿debo yo preocuparme por el agua? Mientras que las aguas circulan por la ciudad de manera espesa, tu hijo y yo estamos aguardando una resolución que está fuera de las leyes de la naturaleza ciudadana. Es toda tu naturaleza la que domina este atropello. Me dirijo a ti entonces como si fueras una divinidad para preguntarte: Dime, ¿por qué no esperaste a que el agua hiciera su trabajo con nosotros?

HOY MI DÍA se verá entorpecido por la enfermedad. Me muevo, respiro, me yergo. Me muevo. Te escribo. Me ha dolido con una determinada consistencia el hueso más pequeño de mi hombro derecho. Este dolor afecta a mi cadera y a mi mano derecha. Recibo pues una seria advertencia corporal. Siento encima el malestar que me ocasiona el cuerpo agarrotado por la mala postura de la noche pasada. Cuando me muevo, en mi pupila se dibuja el paisaje urbano entre el rayo de luz que va disminuyendo la opacidad que nos circunda. Me muevo, respiro. No termino de erguirme pese a que el día termina de profundizarse.

Respiro, me muevo. Mi mano escribe hoy aterida como si tuviera la obligación de dar cuenta de una implacable persecusión callejera en donde los cuerpos son dispersados entre la violencia de los golpes que los sangran y los desvanecen. Un ataque inaudito contra los cuerpos macilentos que huyen maldiciendo su mala vida, su peor suerte. Una agresión considerable contra una multitud que se desgrana atomizada por el pánico, el dolor y la sangre, llevando a cuestas el sufrimiento como memoria de los golpes, mientras huyen despavoridos ante el castigo. Un grupo perseguido a lo largo de las avenidas, una dispersión obligada que deja a algunos caídos contra los muros y allí más golpes y de nuevo la sangre y quizás la herida definitiva en la cabeza.

Pero continúo escribiendo levemente a la manera de un interrogatorio realizado con instrumentos fríos al hombre que fuera capturado a la mitad de la noche, únicamente para agraviar su cuerpo que, aunque siga respirando, terminará mutilado después que transcurran las horas más pesadillescas que jamás serán imaginadas por los sobrevivientes. Te escribo lentamente como respiró el hombre antes de la mutilación, sometido a las peores humillaciones que lo humano pudiera infligir a lo humano.

Y mi mano se mueve con cautela a la manera de un niño salvajemente golpeado por sus progenitores, un niño que esconde sus hematomas para salvar la miseria de sus padres. Y mi mano se vuelve a mover lentamente (es un doloroso movimiento), a la manera de un espacio oscuro e infértil, un terreno erial en donde dejan abandonada a la mujer sangrante que apenas percibe que sus agresores se alejan, pues gime perdida en la profundidad de sus pensamientos. Pero, a pesar de todo, debo continuar escribiéndote, aunque al hacerlo comprometa la frágil estructura en la que hoy ha amanecido mi cuerpo.

Traspasada ahora por un súbito dolor orgánico, mi memoria retrocede hacia el instante en que nació tu hijo. El instante en que nació, era completamente desfavorable para mi cuerpo y tu hijo tuvo la enorme fortaleza de combatir el resquemor que recorría mi organismo. Lo hizo de manera magnífica y ambos pudimos sobrevivir burlando el destino que nos imponía nuestra debilitada sangre.

Pero ahora me entrego al olvido y me yergo pasando sobre este dolor considerable y logro reponer mi muñeca trabada. Sé que éste es un terrible amanecer para mi espalda que está cansada de curvarse para escribirte tantas inútiles explicaciones. Ah, pero tu pasión negativa hacia nosotros progresa vertiginosamente. El sol ahora aparece implicado en una zona movediza entrelazado a una consistencia que me parece divina. Desde el hueco de mi ventana alcanzo a divisar a mi vecino que cojea de una manera profunda, mientras efectúa una ronda alrededor de nuestra casa. Su ira parece que hubiera sido incubada aún antes de conocer las nuevas disposiciones que nos rigen. Lo veo cojeando, cojeando, cojeando, recortado contra un paisaje que se vuelve cada vez más áspero.

Tu hijo, para mi fortuna, conserva aún toda su fortaleza y parece hoy ausente de la amenaza de una doble condena. Amanece junto a sus vasijas y me mira y se ríe y se empieza a fundir con sus objetos. Ah, si pudieras presenciar sus movimientos: tu hijo está fundiéndose a una de sus vasijas, su mano lucha por contener los latidos de su corazón. Tu madre se presentará de un momento a otro y observará el juego de tu hijo y me culpará y será nuevamente la amenaza el horizonte.

¿QUÉ JUICIO va a ser éste que no veo a mis acusadores? Esta noche me pregunto: ¿Quién es en realidad el destinatario de mis cartas? Extrañada me digo: ¿Qué cargo ocupas y qué es lo que ha representado tu madre? Ah, mi mano se esfuerza por encontrar un sentido en medio de la terrible nebulosa que invade a la ciudad y que la ha hecho perder todos sus contornos. No puedo entender aún el pánico que desencadena el hambre y por qué las autoridades continúan propiciando leyes tan rígidas. Veo que los vecinos acuden a sus últimos recursos para hacerse propietarios de todos nuestros hábitos. Tu madre, mi vecina más cercana, intenta corregir incluso mis modales como si fuera la preceptora de una criatura. Censura mis palabras y me prohíbe expresar cualquier sentimiento que no esté de acuerdo con lo que ella llama: "el esplendor del nuevo tiempo". No sé cuál es el esplendor que invoca, pero estoy segura de que tu hijo y yo aún no lo conocemos.

Sé que has declarado oficialmente que mantengo una sediciosa alianza con los desamparados y sé, también, que tu última exigencia es que confiese plenamente, en el curso del juicio, cuáles son los motivos que me llevaron a evadir el reglamento que rige a la ciudad. Insistes pues en resguardarte en la ceguera y hacer de mí, desde un absurdo resquicio, una peligrosa rebelde social.

Ya sabes que los desamparados llegaron una primera noche hasta mi casa y que luego hube de repetir muchas veces el gesto de la puerta abierta (Ahí tu hijo y yo definitivamente cómplices, unidos como una sola figura). Estaban apoyados en el umbral con la respiración entrecortada y al observarlos imaginé que yo era la espectadora de una clásica cabalgata por terrenos pedregosos cuya maligna y exuberante naturaleza hería de muerte a los jinetes que extraviaron el camino. Una turba de jinetes galopando enceguecidos a través de los azotes de las punzantes ramas que les golpeaban sin misericordia el rostro provocando la sangre que les impedía la visión. Entre el vértigo de los galopes, pude percibir los rostros de los desamparados, esos rostros que ya habían sido advertidos por mí en el curso de un mal sueño repetido. Un sueño presagiador de la muerte administrada por la ira de una mano arcaica.

(Tu hijo y yo serenos en el pórtico, abriendo paso a esos cuerpos maltratados).

Cuando llegaron, pensé que estaban recogidos a la manera de un naufragio en donde, sobre la crueldad de las aguas, irrumpen el asombro y el pánico incrustados a un cuerpo debatido en su propio infinito. Los vi estremecidos a la manera de un incendio o en el instante en que se declara un espantoso accidente o en la culminación de un súbito estertor físico que remece el conjunto de los órganos vitales, bajando alarmantemente los signos hasta llegar a la nada corporal. Los recibí como se acoge la desventura o el miedo, como se consuma una espera inútil y allí mi corazón lloró por la disparidad que recorría a mi propio destino.

Mientras les abría el portón, creí escuchar una música desconocida para el pentagrama, un sonido ritual incomprensible, algunos bellos vocablos musitados entre el frío que recorre el altiplano, una forma de proclama señalando que la agonía ya se había tornado endémica. Reconocí en la música una herida que todavía no era reparada y que seleccionaba la fuerza de las pestes con una exacta crueldad. Con mi corazón llorando, en pleno vuelo, me preparé para enfrentar las miserias que circundan las orillas de Occidente.

Es verdad que las palabras que te escribo jamás serán bien comprendidas. Mi visión, durante el último invierno, estuvo dedicada a esos cuerpos que llegaron hasta mi puerta como engendros sobrevivientes de incontables penosas experiencias.

Dijeron:

"La ciudad necesita de nuestras figuras agobiadas para ejecutar el sacrificio".

Culparon a la egoísta arquitectura que gobernaba la ciudad y que en ellos alcanzaba su máxima omnipotencia. Hablaron de la existencia de un plan divinizado que pretendía proferir, a través de sus organismos, un castigo para apaciguar los disturbios materiales provocados por las desigualdades humanas. Dijeron que por la desigualdad, los vecinos abusaron del nombre de Dios para ejecutar acciones que unieran lo sagrado, lo sangriento y lo omnipotente. Afirmaron que alguien usaba el nombre de Dios como una feroz estocada para ocultar el hambre y que si en realidad existiera una Gloria Eterna, estaría únicamente en la hazaña de sus difíciles existencias.

Me pareció asistir a una escena inesperada, cuando percibí que ellos se sentían majestuosos a pesar del infortunio de sus carnes e insistían en impugnar a los que buscaban monopolizar la ruina que devastaba sus figuras.

Dijeron:

"Dios jamás nos ha recompensado ni se ha aparecido ante nuestros ojos bajo ninguna forma".

Mi corazón lloró cada una de esas noches por la bárbara decisión que infectaba a la ciudad. Tu hijo transformó levemente su risa en un homenaje a los caídos y convirtió a sus vasijas en un escenario para el duelo. Pero tú bien sabes que los vecinos continuaban ensimismados en perfeccionar el ritual de la vigilancia. Y hubimos de caer. Hubimos de caer entre tus manos acusados de sobrepasar las leyes que tú nos impusiste. Hubimos de caer, pero mi corazón aún se empeña en sostenerme. Tu hijo vaga pensando en nuestra salvación a través de sus vasijas y me pide que descifre la bella geometría en que se mueve. Esta noche se advierte peligrosa. Siento ahora que un astro enloquecido busca invertir el sortilegio de la luz.

En Algún instante de este atardecer se ha iniciado la causa. ¿Eres tú mismo acaso el responsable del voluminoso expediente? Sé que esta acusación no se sostiene en la certeza, pues sólo radica en un conjunto de supuestos que servirán para esparcir el miedo en la ciudad. Me custodian hace ya dos, tres, cuatro, diez días. Me vigilan ferozmente mis vecinos porque aseguran que me convertí para siempre en una rebelde. Ellos están auspiciando esta espantosa cacería espiritual para adjudicarse una gloria moral que no se merecen. Y allí estás tú encabezando el atropello; inquieto, titubeante, obsequioso. Ah, cuánto te has esforzado por alcanzar una representación que te llene de prestigio en medio de este Occidente secundario. Todo el tiempo buscaste sobresalir y por eso me empujaste hacia una soledad que me daña más que la proximidad de la muerte. Es verdad que ya no distingo a los jueces de los vecinos, a los vecinos de las autoridades, no comprendo qué lugar ocupas tú entre ellos. Ya no sé nada.

Los vecinos se empeñaron en comprarme sin dinero, seducirme sin atributos, halagarme sin conocer mis deseos. Pero tú siempre entendiste que yo no iba a capitular, que jamás me convertiría en una maniática de Occidente. Los vecinos ahora lucen un lamentable uniforme moral y se sienten los protagonistas de una leyenda. Es posible, pero una leyenda desgraciada, una gesta que ofende al hambre de las calles. Pero el hambre sigue allí, creciendo como una larva ávida. Serán más, serán más. Tú que lo sabes bien, pareces no saberlo.

Las palabras que te escribo pueden llegar a ser catalogadas como anárquicas, una agrupación furiosa asegurará que son ininteligibles o insolentes o desafortunadas. Sólo quiero declarar ahora que jamás te escribí cartas. Simplemente escribí para ver cómo fracasaban mis palabras. Tú y los vecinos se fueron apoderando de una gran cantidad de bienes abstractos. Se hicieron dueños de los peores instrumentos. Consiguieron un uniforme, un arma, un garrote, un territorio. Lo consiguieron inundando la ciudad con una infinidad de lemas banales: "el orden contra la indisciplina", "la lealtad frente a la traición", "la modernidad frente a la barbarie", "el trabajo frente a la pereza", "la salud frente a la enfermedad", "la castidad frente a la lujuria", "el bien". Lo dijeron, lo vociferaron. Mintieron sin contemplaciones cuando hicieron circular maliciosamente la última consigna: "Occidente puede estar al alcance de tu mano".

Cuando me enteré, no podía creerlo. Pero allí estaban los grupos, los vecinos, tu madre llenándose de orgullo. Reconozco que pensé que se trataba de un juego, que era víctima de un malentendido. Pero un día comprendí la legitimidad del pánico que me había poseído todo el tiempo. Capté entonces que la insurrección no estaba en mí, no estaba en el hambre de las calles, la insurrección que tanto temían estaba en la voluntad de fundirse a Occidente a como diera lugar. Lo indecente de esta conducta me hiere. Es lo único que me hiere.

Saldré indemne de este juicio vicioso. En realidad tú no eres, sólo ocupas un lugar abstracto. Ahora busco el modo de atravesar la asimetría de este tiempo, escapar de este conjunto inservible de prejuicios. No hemos terminado. Tu hijo y yo aún conservamos intacto el esplendor del asombro, el temblor que suscita la ira, todo nuestro rencor ante la iniquidad. Juntos llegaremos, más tarde o más temprano, a habitar para siempre en el centro móvil de la belleza.

Sólo lo escrito puede permanecer pues las voces y sus sonidos, de manera ineludible, desembocan en el silencio y pueden ser fácilmente acalladas, malinterpretadas, omitidas, olvidadas. Te escribo ahora nada más que para anticiparme a la vergüenza que algún día podría llegar a provocarme el escudarme en el silencio. Sé que aunque el resultado de este juicio me condene, no voy a morir en realidad. Quiero asegurarte que comprendo que no estoy expuesta a una extinción física, sino que mi aversión surge ante la inminencia de una muerte moral. Ah, imagínate, seguir aún viva y no sentir nada.

Osas decir que los vecinos han querido protegerme, así pretendes encubrir esta extensa vigilancia. Dijiste que quisieron protegerme de mí misma y de mi perniciosa inclinación hacia rituales que hoy todos quieren olvidar. Pero yo sabía que si participaba de las pobres costumbres, del vacío, del tendencioso rumor que promueven los vecinos, habría estado prácticamente muerta, me hubiera convertido en una figura sometida e inanimada. No puedo aceptar que la ciudad sea dividida entre lo visible o lo invisible para así inventar una imparcialidad que desemboque en la orgiástica soberbia de la satisfacción.

Hoy el temor se ha retirado de mí con la misma fuerza que el sol en estos momentos desaparece opacado por el atardecer. Se ha retirado mi temor y estoy serena mirando la figura encendida de tu hijo quien lucha por defendernos de toda la miseria y de la vileza que nos retiene enclaustrados en el interior de la casa. Miro a tu hijo y me convenzo que nada podría separarnos pues fuimos construyendo nuestra libertad cuando nos alejamos de tus órdenes y burlamos tu hiriente crueldad. No sé quién eres pues estás en todas partes, multiplicado en mandatos, en castigos, en amenazas que rinden honores a un mundo inhabitable. No sé quien eres ya, no creo haberte nunca conocido. Tu madre tampoco es una figura viva, los vecinos son sólo los personajes de la guerra. Sólo tu hijo y yo somos reales. Sólo nosotros.

La ciudad se enfrenta a sus propios extremos, el Norte y el Sur se han vuelto enemigos, el Este y el Oeste parecen irreconciliables, consumidos en una guerra silenciosa, una batalla muda y desproporcionada pues el gran emblema que augura la victoria es la desesperación del hambre que marca las fronteras. Es el hambre, te digo, es sólo el hambre. Es el hambre derrotada por la gula. Es el avasallamiento de la codicia. Ah, ya no sé quién eres pero, sin embargo, estoy cierta del lugar que ocupas. Como si fueras un legislador corrupto, un policía, un sacerdote absorto, un educador fanático. Tu madre ha sido la doble secuaz de todas esas funciones. Tu madre y su artera alma occidental.

La vigilancia ya nos ha paralizado. No puedo salir hacia las calles en busca de alimentos, existe un impedimento expreso que nos prohíbe abandonar la casa pues ya pasamos a formar parte de los ciudadanos interdictos. Pero, ¿cómo desviarán los vecinos el curso de las aguas asesinas?, ¿con qué mentiras ocultarán la peste? ¿Podrán eliminarse acaso el altiplano y las orillas? Una sensación de muerte emocional me invade. Comprendo que esta sensación me ha acompañado desde que conocí el perverso plan que urdían los vecinos y que me atormentaba en cada despertar. Y ahora mismo percibo que no sé qué significa existir sin el peso y la memoria que me ocasiona esta terrible sensación. Con el convencimiento de no pertenecer ya a ninguna parte, sólo actúo guiada por la necesidad de proteger a tu hijo y expulsar de mí este sentimiento que ha conseguido extraviarme de mi propia vida.

Es verdad que sólo soy capaz de ensoñar algunas palabras marginales que no consiguen aliviarme, pues cada uno de mis despertares me parecen peligrosamente iguales. Pero cuento con tu hijo, una criatura increíble y masculina, que me sigue a todas partes con su risa inaudita que espanta a los vecinos. Yo sé que él comprende en cuánto nos pertenecemos, de qué modo nos necesitamos y porque cuento con tu hijo, esta criatura verdadera y masculina, es que encuentro la fuerza para resistir y no participar de este mal pacto.

Tu hijo ahora se arrastra por el piso de manera circular alrededor de sus vasijas y su pensamiento empieza a adquirir mayor velocidad. En el círculo que va configurando, es posible comprobar que su propósito se acaba de cerrar sobre sí mismo. En el centro de su perfecta circunvalación se empieza a perfilar un mundo que tiene sus partes perfectamente unidas para formar un todo. Pero ahora disgrega las partes de su mundo y se mueve en un gesto que se parece a un baile solitario. Qué maravilla. Tu hijo acaba de iniciar un baile extrañadamente solitario. En su rostro se advierte un aire regresivo que hace que el baile parezca inmemorial.

El día ha terminado, la oscuridad invade ya todos los rincones y, por esta oscuridad, las únicas imágenes que mi cerebro ahora puede convocar pertenecen al dominio de la noche.

Ah, la oscuridad me parece más infranqueable, más poderosa, sólo sobrepasable por el acontecimiento de la muerte. Tú sabes bien que más allá, detrás de la oscuridad, yace la muerte. La oscuridad es pues la gran morada de la muerte, pero la empecinada muerte termina por reducir la oscuridad hasta la nada.

Digo, la muerte y su oscura ceremonia sacra. Un osario infinito que erige, en algún espacio, una tumba multitudinariamente inconcebible. Un amontonamiento milenario de huesos privados de memoria, liberados ya de la carga que produce el deseo que remece y consume a la vida. Huesos que aguardan su pulverización para dejar más espacio, en el interior de esa tumba irrealizable, al otro hueso y a los otros, que han llegado rendidos por tanta oscuridad. Pero nadie muere. Afirmo que toda forma final es asesina. La muerte llega por asalto, derrotando a la oscuridad para agruparse, guerrera y victoriosa, en medio de la nada. Yo quiero asegurar que la única muerte conocida es la fatiga de la vida; su insulto, su vejamen.

Porque yo pienso ahora en esa muerte, aquella que conduce la vida hacia la nada. No en la que se escabulle agazapada entre la tiniebla, sino en esta oscuridad que se deja caer mancillando enteramente el centro de la luz.

He perdido la causa. Me han informado del fin de mis derechos, de la cesación de toda garantía, del poder que ahora te ha sido conferido sobre el reducido espectro de mi vida.

Sin embargo, ¿quién eres?, ¿en qué vecino te simulas?, ¿cuál es la casa en la que habitas? ¿Desde qué dependencia oficial has emitido tus ordenanzas?, ¿qué último mandato de Occidente estás obedeciendo? He perdido la causa y quedaré excluida del festín con el que van a celebrar el triunfo imaginario. He sido expulsada hacia la falla de la orilla, donde dicen que se incuban las pestes, las infecciones voluntarias, causadas por nuestras intolerables costumbres. Y me pregunto en este instante: ¿Cuál de todas las orillas es la que me corresponde? Si las pruebas contundentes de este juicio radicaron en lo escrito, lo escrito es la razón de mi condena. Pero quiero insistir, y eso se sabe, que jamás escribí cartas, sólo escribí para no llenarme de vergüenza.

La oscuridad ahora por fin se estabiliza. Y mi cerebro empieza a despejarse. Con mi mente despejada, aniquilo para siempre la sensación de muerte a la que nos sometieron. Ni tú, que no sé quién eres, ni nadie ya puede alcanzarnos. Jamás permitiremos que se encarne en nuestros cuerpos el avasallamiento que promueven. Conseguimos derrotar las intenciones de los vecinos, escondernos de las injurias que nos podría ocasionar este tiempo.

La criatura y yo terminamos de ordenar las vasijas a lo largo de toda la casa. Hemos logrado una distribución que nos parece prodigiosa y que jamás podría haber sido concebida de una manera tan perfecta. Cruzamos indemnes las fronteras del juego para internarnos en el camino de una sobrevivencia escrita, desesperada y estética.

Ya no se hará efectiva la sentencia, nada pueden hacer en contra de nuestras decisiones. Dejaremos que la ciudad se despedace en el enfrentamiento que mantiene en sus extremos, en la codiciosa guerra abierta entre el Este y el Oeste. La casa es ahora nuestra única orilla y se ha convertido en un espacio inexpugnable para la desidia de Occidente. Jamás podrán derribar la simetría en la que conseguimos concentrar nuestras defensas. He resuelto, al fin, la encrucijada aritmética de la ley que todo el tiempo me planteaba el juego de la criatura. Un juego humano con bordes laberínticos que contenía nuestro único posible camino de regreso. La criatura y yo regresamos exhaustos, pero satisfechos, hacia el orden del mundo que deslumbrantemente nos dimos.

Ah, la criatura siempre fue más sabia que todo mi saber. Durante meses, años, días, hemos transitado desde el juego a la angustia de la guerra. De la angustia de la guerra hacia la solemnidad de la palabra. Jugaremos infinitamente, infinitamente y con solemnidad lo más valioso que tenemos; la calavera, el hombro, el hambre, el fémur, la sílaba, la orgullosa cadera. Ah, sí, y toda nuestra intensa, extraña, creciente, airada piel. Y allá en la última, la única habitación de la casa, las estrellas alumbran ahora la infatigable corrección de las vasijas. Llegaremos seguros hasta ellas. La criatura y yo ya estamos experimentando la plateada profundidad de la vasija. Ah, la criatura y yo la estamos alcanzando con este nuestro antiguo, terrible y poderoso sol entre los dientes.

AMANECE mientras escribo. La luminosidad se deja caer sobre el muro contra el que estoy apoyando mi espalda. Hoy amanece y amanece en esta calle, debido a la poderosa actividad apática de la naturaleza que sólo sabe repetir la monotonía de sus propios rictus. Después del amanecer, el día y la caída del día y la enorme dificultad de la caída del día. La criatura sigue embelesada en el movimiento de la luz. Se ríe en medio de la luz ¿Encontraré otro muro en el cual pueda apoyar mi espalda? Es necesario que lo intente. Pero la criatura, que está enajenada con la luz, parece no querer moverse.

(Sólo puedo escribir ahora en los instantes exactos en que se produce el amanecer).

La criatura continúa ensimismada. Encontraré una forma para conmoverla. Ya hace mucho que caminamos errantes, actuando un nomadismo pobre. Y el hambre. El hambre que arrastramos por todas partes durante este largo, incontable tiempo. Alguien me interrogó con brusquedad cuando ya había anochecido. Y yo, tímida, le respondí con una gran cautela:

-"Sí, esta criatura me pertenece. Sí, sí, mi nombre es Margarita, no sé ni cuántos años tengo".

III

BRRRR

AAAAY, la noche y mamá se me confunden. Mamá y yo vagamos esta noche. Esta noche, los días y las noches. Vagamos siempre juntos, inacabablemente la calle. La calle. La gente de la calle apenas oculta su malestar. El malestar de la gente está en todas partes. SSSSSSS, se extiende el malestar. SSSSSSS. Alguno quisiera destruir a mamá. Lo sé. Destruir y acallar a mamá. La gente que vigila las calles abomina de la presencia de mamá. De mamá. AAAAY, los odios me azotan. Pero mamá ahora no escribe porque busca confundirse con la noche. La noche. El temor de mamá está escondido en la pierna que me arrastra. Yo subo desde su pierna y me prendo a su cadera porque la oscuridad y la gente que nos vigilan, me amenazan. Me amenazan. La letra nocturna de mamá parece que no tuviera un final. Final. Pero mamá asegura que ahora sólo nos protege y nos salva la oscuridad de su letra. De su letra. Mamá todavía conserva algunos de sus pensamientos. Los pensamientos que conserva son míos. Son míos. Yo soy idéntico a la uña, el dedo, la mano avasallada de mamá. Estoy curvado de impotencia en el centro de la página que apenas pudo escribir. Mamá no escribió mis pensamientos. Mamá nunca supo para quien era su palabra. Para quien era su palabra árida e inútil. Ah, mamá y su acumulación de errores. Errores. Por su culpa vagamos la noche y el día y su pierna. Ahora alguno golpea la letra de mamá. AAAAY. Mamá se curva y se protege la cabeza. La cabeza. Cierta gente le pega en los pensamientos a mamá. PAC PAC PAC PAC. Y muy fuerte el golpe. Caemos. Mamá y yo nos azotamos contra el suelo. Yo busco el rostro caído de mamá que se enferma. Enferma. A mamá la enferma su letra. La letra que no puede concluir. Y el hambre. Tenemos hambre pero nos persigue y nos castiga la noche. AAAAY, el hambre. Quiero perderme con mamá en los instantes más extraordinarios de la noche. De la noche. La pierna, la cadera de mamá están fatigadas. Fatigadas. Mi cabeza de TON TON TON To quiere huir de la noche y atravesar con la cadera de mamá hasta el amanecer. Pero el fracaso de mamá nos volvió nocturnos, despreciados, encogidos. Ah, sí, prófugos, odiados, nocturnos y despreciados. SHHHIIIT. AAAAY, el odio. Mamá está a punto de llorar pero yo no se lo permito. SHHHIIIT. Ahora yo estoy cerca de controlar esta historia, de dominarla con mi cabeza de TON TON TON To. De TON TON TON To. Mamá y yo terminaremos por fundirnos. Por fundirnos. Gracias a mí, la letra oscura de mamá no ha fracasado por completo, sólo permanece enrarecida por la noche. Yo quiero dirigir la mano desencajada de mamá y llevarla hasta el centro de mis pensamientos. De mis pensamientos. Tengo que conducir a mamá a través de esta oscuridad que conozco. Llevar, llevar a mamá lejos de la irritación y de la burla y de la indiferencia que provoca su letra. Su letra. Mamá ahora no habla y se mece en una esquina. Se está meciendo en una esquina, en la esquina de esta única calle que nos hace existir. Se mece y se arrulla. Yo me escondo en su pierna. SHHHIIIT. Mamá está cansada y quiere dormir. Dormir. Mamá sólo piensa en dormir ahora que estoy cerca de arrebatarle la página que la hacía impresionante. Impresionante. Llegaremos esta noche hasta las hogueras. Las hogueras. CRRRR, crepitan. Llegaremos y los hombres del fuego recibirán a mamá con desconfianza. La recibirán con indiferencia y desconfianza. Mamá me arrastrará sin preocuparse por el estado de mi cabeza de TON TON TON To. Pero si yo no sostengo su mano, nos extinguiremos con el fuego. Estamos cansados. Cansados. El hambre insaciable e incomprensible de mamá me cansa. Deseo que mamá sobrepase el odio y la indiferencia. El odio y la indiferencia a su letra. Vamos hacia las hogueras, yo tomado a la cadera de mamá que está acalambrada y desgarrada por mi peso. Mi peso. Ah, esas palabras que no pudo esclarecer. Yo no hablo. No hablo. Las calles se alargan en la noche, se vuelven fatídicas. Fatídicas. Mamá quiere dejarse caer en las calles y abandonarme. Pero aún continuamos en este viaje oscuro y secreto para llegar hasta donde CRRRRR, crepitan las hogueras que iluminan las orillas. AAAAY, mamá ha perdido gran parte de sus pensamientos en esta terrible y cautelosa caminata. Ha perdido su fortaleza y sus pensamientos. Pensamientos. Yo me agarro a la cadera de mamá con las pocas fuerzas que tengo y le lamo y le caliento la mano que me sostiene. Me sostiene. Tenemos hambre. Hambre. El hambre de mamá no se sacia con los alimentos. A mamá sólo la complacía su letra. Esa letra que ya no puede concluir. Yo me sacio con la mano de mamá. Mi cabeza de TON TON TON To siempre adivinó que mamá iba a ser derrotada por la aridez de la página. De la página. Quise morder, desgarrar a mamá para alejarla de su inútil letra. Yo no hablo. No hablo. Estamos perdiendo el ardor. La cadera de mamá está fría y asustada. Asustada. Mi boca que no habla se hiela. Mamá quiere que yo descubra la estrella más segura de la noche. Ah, la estrella. Nos vigilan. Algunos nos siguen a través de la penumbra con un ojo desmesurado y severo. Nos siguen con una risa desmesurada y severa. Allá adentro se concentran las miradas. Y más adentro aún nos vigilan las otras palabras y las gentes que saben en cuánto nos aproximamos a la caída. Caída. Ahora mamá y yo sólo tenemos la carne de nuestros cuerpos y un resto apesadumbrado de pensamientos. De pensamientos. Mamá mueve lentamente su pierna para que yo PAC PAC PAC PAC caiga y me golpee y quede acumulado para siempre en la única esquina. Pero si yo caigo, mamá perderá su último pensamiento. AAAAY, mamá muy oscura se detiene contra la infranqueable pared helada. BRRRR, tiemblo. BRRR, temblamos. El ojo temible y arrogante y alevoso parpadea de gusto ahora que ve en cuánto desfallecemos. Desfallecemos. Con los pocos dientes que tengo muerdo la cadera de mamá y RRRRR, rasguño su pierna. La muerdo y la rasguño pues ahora yo debo conducir a mamá hacia las hogueras para no ser aniquilados por el frío. El frío. La noche se cierra y esconde la estrella y el cielo de mamá. De mamá. Cierto ojo vigilante nos sigue con toda clase de miradas. Nos vigilan esas peligrosas miradas desde el centro, y la letra de mamá necesita oscurecerse más, más para defendernos. Defendernos. Mamá ha concluido. Ahora mismo termina de caer. Debo tomar la letra de mamá y ponerla en el centro de mi pensamiento. Porque soy yo el que tengo que dirigir la mano de mamá. Su mano cae contra el piso, se desploma hacia el suelo de esta única esquina en la que terminamos por encontrarnos. Si mamá no afirma su mano la golpearé con las pocas fuerzas que tengo. Ahora mamá no habla. No habla. Mamá es la TON TON TON Ta de las calles de la ciudad. De la ciudad. Una burla conocida y despiadada nos persigue y se satisface a lo largo de las avenidas. AAAY, el hambre. Arrastraré a la TON TON TON Ta hacia las hogueras y la entregaré a los hombres del fuego. Del fuego. AAAY, la arrastro. La arrastro. Esta noche y las noches y el día. La cabeza de mamá PAC PAC PAC PAC se golpea contra el suelo. Tiene hambre. Lo sé. Hambre. Debo buscar un poquito de comida con que alimentarla. Alimentarla. Encuentro en algún suelo un poquito de comida y esquivo la mirada terrible e insensible que nos empuja a la única caída en el hambre. Hambre. Mamá abre la boca y yo le meto la comida y se la deposito en la lengua. En la lengua. Mamá, aterrada, me muerde el dedo y desfallece. Desfallece. Si mamá no se anima la abandonaré en esta esquina, en la única esquina que nos protege y nos hace existir. Pero mamá se sobrepone y BAAAM, BAAAM, se ríe. Su risa me abruma. Abruma. Debo conducir a mamá hasta las hogueras que nos permitirán atravesar esta noche. Esta noche. Ah, mamá se niega y se empecina en ovillarse contra la pared helada. Helada. BRRRR. Está oscuro y temo perderla. Por fin me yergo y prendo la mano de mamá a mi pierna. A mi pierna. Debo arrastrar a mamá hacia las hogueras, pero se ovilla y mete sus dedos en la tierra. En la tierra. Mamá quiere enterrarse en la tierra. Yo le tomo el dedo y se lo meto en la boca que no habla. No habla. Mamá, con su dedo, me mancha de baba la pierna y BAAAM, BAAAM, se ríe. Se ríe y se azota la cabeza PAC PAC PAC PAC contra el suelo. Mi corazón TUM TUM TUM TUM, late de ira y de cansancio. De cansancio. TUM TUM TUM TUM, atravesar la oscuridad arrastrando a la TON TON TON Ta de las calles de la ciudad y a su baba interminable. Mamá tiene un intenso inescrupuloso resentimiento porque su antigua letra le extenuó el pensamiento. Lo sé. Por eso todo el tiempo su baba y BAAAM, BAAAM, la risa. Mamá es ahora la TON TON TON Ta de las calles de la ciudad. De la ciudad. En su cabeza de TON TON TON Ta se prolonga el hambre que circunda las calles. Ah, nos vigilan. Nos vigilan ciertos ojos vengativos y no menos severos que adoran la caída. La caída irreversible de mamá. Estamos más abajo, acá donde la TON TON TON Ta de las calles de la ciudad PAC PAC PAC PAC se ha destrozado la espalda hasta deshacer su letra. La letra de mamá ahora es tan mía como ajena es la estrella inalcanzable. La cabeza de la TON TON TON Ta babosa de las calles de la ciudad clama aún por el cielo donde la espera una estrella. Una estrella. Yo debo llevarla desde mi cadera a mi pierna hasta las hogueras que CRRRR, crepitan su resplandor. Si llegamos hasta la plenitud de las llamas derrumbaremos a los ojos acechantes que pretenden que la tierra de esta única esquina sepulte mi letra. Mi letra. Ahora yo escribo. Escribo con mamá agarrada de mi costado que babea sin tregua y BAAAM, BAAAM, se ríe. Se ríe. Mamá no quiere que yo escriba y se prende a mi pierna para desgarrar mis palabras. Palabras. Mamá le teme a la indiferencia de mi espalda. De mi espalda. Hace un ruido malsano MMMMHHH con su boca. Ahora vamos hacia las hogueras. Vamos hacia las hogueras atravesando la rigidez de la noche para concluir esta historia que ya me parece interminable. Estéril e interminable. Mamá me muerde y me RRRR, rasguña la pierna porque me exige de inmediato la estrella y ese cielo que hace tantos años espera. Espera. Una estrella que es más azul, más azul que el frío de nuestra piel. Mamá es la TON TON TON Ta de las calles de la ciudad. Si yo no la sostengo, cierto ojo increíble que nos vigila la derribará para siempre. Para siempre. Ah, he descifrado un camino para llevar a mamá, cruzar con la TON TON TO Ta de las calles de la ciudad hasta las llamas que nos harán sobrevivir una noche. Ahora yo domino esta historia. Llevo a mamá por mi propio camino. AAAAY, pero una palabra terrible y poderosa quiere aniquilar mi pensamiento. Mi pensamiento. Mamá ya casi no tiene pensamientos. Sólo tiene la baba y su risa. Su baba llega hasta el suelo y se mezcla con la tierra. BAAAM, BAAAM, se ríe y tirita. Mamá se va poniendo azul y yo aún más azul, más azul me deshago por sacarla de esta noche. Mamá y yo sólo podemos amarnos en este viaje inacabable recorridos por su baba que mancha todo el espacio. El espacio. Allá lejos dicen que CRRRR, crepitan las hogueras y dicen también que las siluetas de las llamas aminoran el hambre. Tenemos hambre y tenemos frío y la letra se evapora y se vuelve todavía más inútil. Inútil y lejana. Arrastro una letra inútil y lejana por una superficie yerma. La arrastro. Cierto ojo vigilante y seguro se ríe de mi magra superficie. AAAAY, mi pierna se dobla y se lastima. Mamá se agarra con fuerza a mi pierna como antes a la pasión por su página. La TON TON TON Ta babosa de las calles de la ciudad arruinó su letra y yo ahora debo corregirla. La TON TON TON Ta babosa de las calles de la ciudad apenas supo lo que escribía y jamás entendió a quién le escribía. BAAAM, BAAAM, mamá se ríe y se enrosca sobre mi cadera. Voy llevando a mamá hacia las hogueras en medio de un frío y de una oscuridad que no sé cómo podríamos soportar. Y en este instante, mamá se curva. Se curva. Yo le pego a mamá en su cabeza de TON TON TON Ta para que se recomponga. Se recomponga. Mamá abre la boca para decir AAAAY, pero BAAAAM, BAAAAM, se ríe y me muerde la pierna con los pocos dientes que tiene. Mamá quiere que yo escriba sus pensamientos. Sus pensamientos. Pero mamá ha destrozado sus pensamientos en este viaje demasiado TON TON TON To como su TON TON TO Ta cabeza. AAGGG, mamá vomita de frío sobre mi pierna. Sobre mi pierna. El vómito le provoca hambre. Hambre. Extraigo las últimas, las últimas, las últimas gotas de leche del pecho de mamá y pongo mi boca en su boca. En su boca. Mamá siente su leche en la boca y quiere escupirla, pero yo le cierro la boca con todas las fuerzas que tengo. Que tengo. La obligo a tragar su leche. Su leche. Ah, mamá insiste en escupir su última, última, última gota de leche pero yo no se lo permito y le pego en su cabeza de TON TON TON Ta. Mamá MMMMHHH, masculla con ira y revuelca su cara en la tierra. Llegaremos, la arrastraré hasta las llamas para olvidar el frío que me traspasa con más saña que los pocos dientes de mamá en mi pierna. Mamá ahora no habla. No habla. TUM TUM TUM TUM, su corazón late en mi costado. En mi costado. Mamá quiere que yo escriba los escasos pensamientos que tiene. Debo arrastrar a mamá hasta donde se refugian los hombres del fuego y dejar de una vez esta única esquina que apenas nos hace existir. Existir. AAAAY, mis ojos aún no divisan las llamas. Las llamas. Otros ojos expectantes celebran anticipadamente mi caída. Mamá ya ha caído. No puede separarse de mi pierna. De mi pierna. Mamá se agarra de mi pierna con las pocas fuerzas que tiene y MMMMHHH masculla el hambre. Mamá ahora siempre tiene hambre y sólo piensa en comer. No encuentro ni un poquito de comida para mamá. Mamá más babea y BAAAM BAAAM, se ríe. Se ríe. Le meto un pedazo del género de su falda en la boca para que se calme. Se calme. Mamá AAGGG se ahoga y escupe el género. Estoy cansado. Tan cansado que me detengo. Dejo apoyada a mamá contra la pared y me siento a su lado. A su lado. Pero mamá rueda sobre el suelo y saca un pedazo de tierra y se la mete en la boca. En la boca. Con ira, le saco la tierra de su boca y mamá se enoja. Se enoja. Somos los TON TON TON Tos de la ciudad durante esta noche que se vuelve infinita. Una noche infinita y sin ninguna estrella. Estrella. Tenemos que encontrar una estrella y alguna hoguera para salvar el poco ser que nos queda. Nos queda. Busco una estrella y sólo choco contra la oscuridad. La oscuridad. Mamá y yo babeamos juntos el hambre. Una cierta mirada inconmovible se ríe de la caída. Caída. Mamá y yo no sabremos cómo levantarnos del suelo. Su pierna y la mía se enredan, BRRRR, tiritamos juntos de hambre y de frío. TUM TUM TUM TUM, mi corazón, su corazón. Busco el pecho de mamá para calentarme pero está tan helado como su pierna. Su pierna. A mamá ya no le queda leche en su pecho, ni una sola gota de leche en su pecho y MMMMHHH mascullamos un sonido que hace rodar la primera lágrima. Lágrima. La lágrima está rica, salada, calentita. Pero aún nos arrastramos buscando un poquito de calor. De calor. BAAM, BAAAM, nos reímos juntos. TUM TUM TUM TUM, el corazón de mamá y mi corazón mantienen ahora los mismos latidos. Latidos. Algún ojo vigilante y extenso se prepara para un fracaso contundente. AAAAY, el frío punzante, BRRRR, nos traspasa. Mamá me pega en mi cabeza de TON TON TO To para que le muestre la estrella. La estrella. Y yo le pego en su cabeza de TON TON TON Ta. Ella me muerde con los pocos dientes que tiene porque desea que la lleve hasta el cielo que desde hace tanto tiempo espera. Espera. Caemos sobre la tierra babeando, babeando con la poca saliva que se desliza desde la lengua hasta la boca abierta. Abierta. Nuestra saliva se mezcla y se confunde. Confunde. Pero debemos de arrastrarnos hasta las hogueras y mamá se agarra de los pocos pelos que tengo para sostenerse. Sostenerse. Quiere arrancarme los pelos y vaciar completamente mi baba por la urgencia del hambre. Hambre. Estamos a punto de perder el último, el último, el último pensamiento. Allá, entre la oscuridad de esta orilla, se divisan las hogueras. Las hogueras. Con gran trabajo mamá y yo nos arrastramos, enredando nuestras piernas y la baba y la BAAAM, BAAAM, risa que nos queda. Ahí está el cielo que hace tiempo ya esperamos y lo recibimos con una renovada risa que BAAAM, BAAAM atraviesa la noche. AAAAY, nos acercamos al fulgor constelado para quedarnos en este último, último, último refugio. Las miradas que nos vigilaban apabullantes y sarcásticas no pueden ya alcanzarnos. Alcanzarnos. Mamá y yo nos acercamos extasiados mientras yo olvido mi hambre por su cuerpo, mi deseo de fundir mi carne con la suya. Con la suya. Nos entregamos a esta noche constelada y desde el suelo levantamos nuestros rostros. Levantamos nuestros rostros hasta el último, último, el último cielo que está en llamas, y nos quedamos fijos, hipnóticos, inmóviles, como perros AAUUUU AAUUUU AAUUUU aullando hacia la luna.